A ARTE E A PRÁ...

Massagem em bebês

Editora Pensamento

Para Harley e Sauri

Título do original: *The Practical Art of Baby Massage.*

Criado e produzido por
CARROLL & BROWN LIMITED
20 Lonsdale Road
Queen's Park
London NW6 6RD

EDITOR Dawn Henderson
DESIGNER Evie Loizides
EDITOR DE ARTE Tracy Timson
FOTOGRAFIA Jules Selmes

Impresso e encadernado por Bookprint S.L., Barcelona.

Todas as técnicas apresentadas neste livro vêm sendo
testadas e aplicadas com toda a segurança durante os
últimos 15 anos pelo autor, pelos instrutores por ele
credenciados e por milhares de mães. Entretanto, nem o
autor nem os editores aceitarão qualquer responsabilidade
por nenhuma lesão supostamente decorrente da aplicação
dessas técnicas.

O primeiro número à esquerda indica a edição, ou reedição, desta obra. A primeira dezena
à direita indica o ano em que esta edição, ou reedição, foi publicada.

Edição	Ano
1-2-3-4-5-6-7-8-9	01-02-03-04-05-06

Direitos de tradução para o Brasil
adquiridos com exclusividade pela
EDITORA PENSAMENTO-CULTRIX LTDA.
Rua Dr. Mário Vicente, 368 – 04270-000 – São Paulo, SP
Fone: 272-1399 — Fax: 272-4770
E-mail: pensamento@cultrix.com.br
http://www.pensamento-cultrix.com.br
que se reserva a propriedade literária desta tradução.

Prefácio

A maior massagem que seu filho vai receber
na vida inteira é a do nascimento. Nesse
instante, as prolongadas contrações
uterinas empurram o bebê para fora,
ao longo do canal vaginal,
estimulando e preparando o
sistema nervoso periférico e os
principais órgãos do corpo para
a vida fora do útero.
Prosseguindo com a
estimulação física enquanto seu
bebê se desenvolve, você estará
dando continuidade à forma que
a natureza encontra para
incrementar a sua resistência.

As técnicas apresentadas neste
livro destinam-se especificamente a
proporcionar a você e a seu bebê todos os
benefícios da massagem convencional.
Ao mesmo tempo, elas ajudarão seu
filho a atingir plenamente o seu
potencial físico em cada fase do
desenvolvimento, desde o nascimento

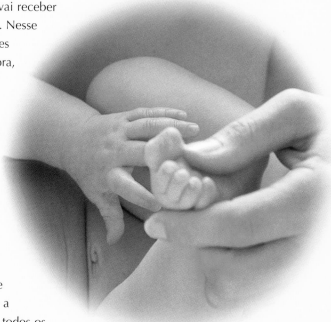

*A massagem irá acrescentar uma nova
dimensão ao seu relacionamento com
o seu filho.*

até o momento de caminhar. Por atuarem tanto sobre os músculos como sobre as
articulações, essas técnicas propiciam todos os benefícios de um toque amoroso, além de
garantir que o bebê atinja total flexibilidade à medida que se prepara para a locomoção.

Praticadas regularmente, essas técnicas de massagem lhe darão também a
oportunidade de verificar se existem áreas de tensão ou rigidez oculta nos músculos e
articulações de seu bebê, permitindo-lhe assegurar plena saúde estrutural e boa forma
física a seu filho. Além disso, elas promovem um nível de relaxamento que contribuirá
para manter seu bebê livre de "traumas" – tanto física quanto emocionalmente –,
mantendo uma boa postura e gozando da autoconfiança proporcionada por uma ampla
gama de movimentos.

A massagem é um recurso médico, sendo uma das mais úteis habilidades que um pai
ou mãe pode adquirir. Sua ação é imediata, prática e não apenas curativa como
preventiva. Ela pode ser utilizada para minimizar problemas de menor gravidade e
contribui com um elemento de alívio e conforto para aquelas crianças portadoras de
necessidades especiais.

Sumário

Introdução

A arte e a prática da massagem em bebês inicia-se quando você é apresentada à massagem – ou seja, informando-a de tudo aquilo que você precisa saber em relação a como e por que massagear o seu filho. Desse modo, você verá os inúmeros benefícios dessa técnica e aprenderá a praticá-la com destreza desde o início.

O Capítulo 1 mostra-lhe como aproximar-se de seu bebê desde o nascimento e usar a massagem para criar uma relação muito íntima com ele desde os primeiros momentos. Nele você encontrará sugestões para incentivar e enriquecer o relacionamento entre vocês desde as primeiras semanas.

O Capítulo 2 apresenta uma rotina de massagem que, se praticada regularmente, promoverá, além da segurança emocional, todos os principais atributos presentes na boa postura, saúde e forma física. As combinações propostas lhe permitirão promover e manter a força e a elasticidade do seu bebê. Além disso, as técnicas podem revelar e melhorar áreas de tensão muscular e falta de flexibilidade das articulações.

Estendendo a massagem à tenra infância, o Capítulo 3 analisa o papel auxiliar da massagem na obtenção e manutenção de uma postura sentada saudável e confortável.

À medida que o bebê ganha maior mobilidade, ele já não quer ficar parado, e a massagem pode se tornar cada vez mais difícil. É o momento de apresentar o bebê ao mundo do movimento. O Capítulo 4 apresenta jogos de ginástica leve, destinados a manter a elasticidade já adquirida e a promover a força, o equilíbrio e a boa postura, sentada ou de pé.

No Capítulo 5 são apresentadas algumas das queixas mais comuns e as maneiras como a massagem e a movimentação podem ser utilizadas para evitar e minimizar alguns problemas. Discutem-se também algumas necessidades especiais, mostrando como a massagem pode complementar as formas de terapia e tratamento disponíveis.

Finalmente, na última parte do livro, indica-se como, após um intervalo sem massagens, você pode reapresentar algumas técnicas a seu filho quando chegar a hora certa.

COMO USAR ESTE LIVRO
- Antes de cada exercício, são explicados a finalidade e os benefícios da massagem. Em seguida, mostra-se como realizá-la, passo a passo.
- Os textos em destaque enfatizam possíveis contra-indicações ou questões importantes a levar em conta durante a massagem do bebê.

Quando massagear

Enquanto o seu bebê ainda não estiver acostumado a ser massageado, a escolha da hora certa pode influir muito no sentido de ele gostar ou não da massagem. Existem vários fatores a considerar quando você planejar as sessões de massagem de seu filho.

• Sempre é melhor massagear o bebê entre as mamadas. Se ele estiver com o estômago cheio demais, o processo pode ser desconfortável, principalmente quando você massagear-lhe a barriguinha ou o puser deitado de bruços para massagear-lhe as costas. Além disso, se estiver com fome, ele provavelmente não tolerará a massagem nem por um minuto.

• Um bom momento para a massagem é o fim do dia, depois que o bebê tomou seu banho, ou a qualquer instante em que ele se mostrar mais relaxado e disposto a reagir.

• Escolha um momento em que a casa esteja tranqüila, de modo que você possa se concentrar completamente na massagem.

• Procure manter regularidade no horário para que seu bebê possa aprender a adivinhar e a desejar o início das sessões.

CONTRA-INDICAÇÕES

• Com exceção das massagens especificamente destinadas a aliviar sintomas de doenças, não massageie seu bebê se ele não estiver bem. Na maioria dos casos, quando estão doentes, os bebês querem apenas dormir e ser carregados.

• Você nunca deve massagear um bebê contra a vontade dele. Além disso, sempre é melhor esperar que ele acorde naturalmente para dar-lhe uma massagem.

• Não use óleo para massagear o bebê se ele tiver algum problema de pele, já que o óleo pode piorar a situação. Consulte o pediatra a respeito para definir uma alternativa adequada.

• Aguarde 48 horas se o bebê tiver sido vacinado, a fim de verificar qual o efeito da vacina. Evite o ponto onde foi dada a injeção, mas, se no local ficar um caroço duro, você pode apertá-lo bem devagar entre o polegar e o indicador depois que a sensibilidade ao toque desaparecer.

• Evite as áreas do corpo do bebê que estiverem machucadas, inchadas, inflamadas ou de alguma forma sensibilizadas. Antes de voltar a massageá-las, consulte o pediatra.

Os benefícios do toque

O tato é a primeira linguagem do recém-nascido e seu principal meio de comunicação, tendo papel essencial na formação dos primeiros vínculos entre pais e filhos. Massageando seu bebê, você poderá expressar seu carinho e suas emoções, além de preencher a necessidade que ele tem de contato físico. A massagem tem benefícios não só físicos como também emocionais, de modo a propiciar completo bem-estar ao seu bebê.

BENEFÍCIOS EMOCIONAIS

A cada mudança emocional há uma reação muscular. Aliviando a tensão muscular, a massagem acalma a agitação emocional do bebê e contribui para aliviar parte da ansiedade e dos traumas associados ao nascimento, à entrada num novo ambiente e ao desmame.

Além disso, a massagem proporciona inúmeros outros benefícios emocionais:

- Ela acrescenta segurança e confiança ao relacionamento entre você e seu filho.
- Ela aproxima mais os pais dos filhos, dando-lhes a oportunidade de fortalecer o relacionamento e aprender a segurar os bebês com jeito.
- Aplicada regularmente, a massagem reduz o nível de cortisol – um hormônio que provoca *stress* – no sangue. Essa redução é constante e se mantém nos intervalos entre as sessões.
- Ela estimula a liberação de endorfinas – opiáceos naturais presentes no organismo humano –, contribuindo para a atenuação da dor. Juntamente com a redução do cortisol, as endorfinas contribuem para uma sensação de bem-estar generalizado no bebê.
- Enquanto massageia seu filho, você mantém contato visual e oral com ele, podendo também beijá-lo e acariciá-lo. Tudo isso contribui para aumentar o apego que ele sente por você.

Tocar também é ser tocado – quando você toca o bebê, ao mesmo tempo está sendo tocada por ele.

A massagem estimula a coordenação muscular do bebê e pode ajudá-lo a abrir e alongar os braços e as pernas, contribuindo para que ele deixe de lado a tendência a voltar à posição fetal durante os primeiros meses de vida.

BENEFÍCIOS FÍSICOS

A pele proporciona ao sistema nervoso central um fluxo contínuo de informações sobre o ambiente e sobre o corpo. Ao tocar a pele do seu filho, a sensação é transmitida ao sistema nervoso central dele, dando origem a reações físicas, fisiológicas e emocionais. A massagem inclui, entre outros benefícios físicos:

• O toque, tanto quanto as vitaminas, proteínas e minerais, é essencial ao crescimento e ao desenvolvimento saudável do seu filho – privados de contato físico, os bebês não se desenvolvem normalmente.

• Aplicada regularmente, a massagem estimula a glândula pituitária a fabricar os hormônios do crescimento.

• Ao relaxar, os músculos absorvem sangue e, ao se contrair, contribuem para bombear o sangue de volta para o coração, ajudando no retorno do sangue venoso. A periferia do corpo do bebê – o alto da cabeça, as mãos e os pés – em geral é fria porque o sistema circulatório ainda não está completamente desenvolvido. A massagem ajuda a circulação, aquecendo as extremidades e a cabecinha do bebê.

• Ao relaxar, os músculos proporcionam livre movimento às articulações do corpo. Aplicada quando o bebê está começando a crescer, a massagem estimula o relaxamento muscular e a flexibilidade das articulações, permitindo-lhe uma ampla gama de movimentos e melhorando sua futura capacidade de locomoção.

• Aplicada regularmente, a massagem limpa a pele do bebê e ajuda a remover as células mortas. Ela abre os poros e estimula a eliminação de toxinas e a secreção de sebo – óleo natural que contribui para a elasticidade da pele e a resistência a infecções.

• A massagem estimula o nervo vago. Uma de suas ramificações conduz ao trato gastrointestinal, onde ele atua facilitando a liberação de hormônios que contribuem para a absorção dos alimentos, tais como a insulina e a glicose.

• A massagem e o movimento promovem o fluxo do fluido linfático, o qual remove os resíduos da atividade metabólica, aumentando a resistência do organismo às infecções.

• O toque carinhoso faz as pessoas se sentirem melhor. A definição hipocrática – ou seja, a primeira definição médica de acordo com os antigos gregos – da boa saúde é "uma boa sensação corporal".

O que você vai precisar

As sessões de massagem são momentos especiais para você e seu bebê – por isso, procure criar um ambiente agradável quando for massageá-lo.

Deixe pronto tudo aquilo de que vai precisar:

- Se o quarto não for acarpetado, use um lençol e uma almofada para sentar-se e abra uma toalha macia sobre uma pele de carneiro ou um lençol dobrado para deitar o bebê. Ele não ficará confortavelmente acomodado se for deitado sobre uma superfície muito dura, principalmente se ainda não tiver controle sobre a cabeça – poderia inclusive bater a cabeça. Se o quarto for acarpetado, dobre uma toalha grande e deite o bebê sobre ela.
- Independentemente do recipiente em que for comercializado, use uma tigela para o óleo; do contrário, ele poderá derramar com facilidade. Coloque-a ao alcance da mão para poder ir repondo o óleo durante a massagem.
- Se quiser, ponha música suave para ajudar a criar uma atmosfera relaxante.
- Tenha sempre à mão uma fralda e uma toalha limpas para o caso de algum imprevisto durante a massagem.

Sempre faça um teste com o óleo antes de utilizá-lo. Friccione uma pequena quantidade numa área reduzida da pele da panturrilha ou do braço do bebê e aguarde 30 minutos para verificar se ocorre alguma reação alérgica. Essa reação normalmente assume a forma de manchas vermelhas que desaparecerão após uma ou duas horas. Se isso acontecer, experimente outro óleo ou peça uma sugestão ao pediatra.

- Finalmente, é possível que o bebê sinta fome depois da massagem. Portanto, se estiver usando mamadeiras para amamentá-lo, deixe uma pronta por perto.

ÓLEOS

A pele do bebê é delicada e sensível, com muito mais terminações nervosas que a do adulto. A constante regeneração celular mantém a pele do bebê hidratada e macia, permitindo que, com massagens regulares e óleos adequados, as células mortas sejam removidas dos poros e a pele adquira um brilho saudável. O óleo escolhido deve permitir que suas mãos deslizem facilmente e que a massagem atinja uma certa profundidade sem causar nenhum desconforto. Ele não deve ser demasiado pegajoso nem gorduroso, mas sim puro e, sempre que possível, de origem orgânica. Estes são os melhores óleos básicos para massagem – nenhum é caro e todos são fáceis de encontrar:

- Semente de uva: famoso pela pureza e pela facilidade de absorção.
- Amêndoas doces: leve, porém ligeiramente mais denso.
- Oliva: mais pesado e recomendado para peles secas.
- Girassol (apenas o orgânico): fino e recomendado para bebês prematuros.

Os óleos naturais de frutas ou vegetais são absorvidos imediatamente pela pele – por isso, você deve sempre untar as mãos ao longo da massagem. Jamais volte a guardar o óleo que sobrar da tigela no seu recipiente original, pois isso pode causar contaminação.

Os óleos essenciais destinam-se apenas a uso tópico. Não devem ser usados como substitutos do diagnóstico e tratamento profissionais. Sempre consulte o pediatra se achar que seu bebê está doente.

ÓLEOS AROMATERÁPICOS

Também conhecidos como óleos essenciais, são óleos extremamente refinados que possuem o aroma e as propriedades terapêuticas da planta, erva ou flor de que foram extraídos. Eles podem ser utilizados para influir sobre o humor – relaxar ou revigorar – ou para tratar enfermidades específicas. Porém esses óleos são extremamente fortes e não é aconselhável usá-los com bebês muito novos. Após cerca de dois meses, podem surtir o efeito previsto, mas devem ser usados apenas quando bem diluídos num bom óleo básico (veja página anterior) – três gotas de óleo essencial para cada duas colheres de sopa de óleo básico. O bebê é muito sensível aos aromas; portanto, verifique como ele reage à mistura.

Se quiser, coloque duas ou três gotinhas de óleo essencial no banho do bebê. Porém dilua-o antes em uma colher de sopa de leite, para que ele se dissolva com mais facilidade.

Além disso, você também poderá utilizar um defumador para queimar o óleo essencial e disseminar seu efeito pelo ar.

Não use óleos essenciais se o seu bebê sofrer de algum mal ou distúrbio grave. Consulte primeiro o pediatra.

Nem todos os óleos essenciais são indicados para bebês. Alguns dos mais úteis e eficazes são:

"ÁRVORE DO CHÁ"/*TEA TREE* (*Melaleuca alternifolia*/Austrália) Recomendado para afecções da pele, é anti-séptico e não tóxico.

CAMOMILA (ROMAN)/*CAMOMILE ROMAN* (*Chamaemelum nobile*/Itália) Calmante e suavizante, este óleo auxilia a digestão e acalma irritações (página 80).

LAVANDA/*LAVENDER* (*Lavandula angustifolia*) Este óleo anti-séptico é bom para aliviar e curar picadas e queimaduras leves. Além disso, pode ser usado como descongestionante do peito ou do nariz (página 74).

EUCALIPTO/*EUCALYPTUS* (*Eucalyptus globulus*) Descongestionante potente que pode ser utilizado em massagens nas costas e no peito (página 74) para aliviar tosses, resfriados e congestões. Contudo, não utilize este óleo se o bebê estiver em tratamento homeopático.

INCENSO/*FRANKINCENSE* (*Boswellia carteri*) Profundamente relaxante e dotado de aroma muito agradável, este óleo também pode ser usado para massagear o peito (página 36), tornando o ritmo respiratório mais profundo e aliviando o mal-estar.

ROSA DAMASCENA/*ROSE OTTO* (*Rosa damascena*/Bulgária e Turquia) Este óleo é recomendado para peles secas. Tem um delicioso aroma, mas é caro.

Boas técnicas de massagem

Ao massagear o bebê, você deve estar com as mãos abertas e relaxadas e manter os dedos e as palmas das mãos sempre em contato com a pele dele. Se suas mãos estiverem rígidas e se o seu toque for hesitante, você poderá transmitir sua tensão ao bebê. Assim, é importante estar segura e tranquila.

A forma como você usa as mãos é muito importante e fará uma grande diferença na eficácia da massagem.

À medida que o bebê for criando gosto pela rotina mais formal da massagem, você poderá aumentar levemente a pressão para dar um pouco mais de profundidade ao toque. Isso dará ao bebê uma importante mensagem: ele é forte. Quanto mais firme o toque, mais segurança você incutirá no seu filho. E, à medida que ele se desenvolver, talvez seja preciso acelerar a velocidade dos toques para prender sua atenção e fazê-lo cooperar.

Acompanhe a massagem com muitos beijos e abraços; cante, fale com seu bebê e desfrute de tudo isso. Os bebês adoram brincar – assim é que eles mais aprendem. Se você levar a coisa com muita seriedade, o bebê perderá o interesse e se desligará.

Mantenha as mãos sobre a pele do bebê o máximo que puder e, quando tiver de parar para virar a página ou pegar mais óleo, sempre deixe uma mão sobre o corpo dele.

Os toques em si não são difíceis de aprender e você logo passará a fazê-los intuitivamente. Esfregue as mãos para aquecê-las e relaxe-as ao máximo antes de iniciar. É importante que elas tenham mobilidade em relação ao pulso. Os termos mais importantes a observar são os seguintes:

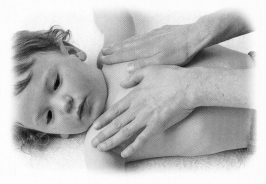

Fricção

Leve pressão com o peso da(s) mão(s) relaxada(s), para diante e para trás, sobre o tronco ou os membros do bebê.

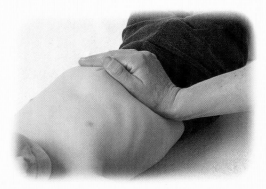

Amassamento

Aperto e liberação, feitos suavemente e com a mão inteira, das partes mais macias do corpo do bebê.

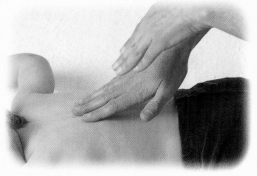

Carícia

Movimento feito com o peso da mão inteira, relaxada, ao longo da superfície do corpo do bebê.

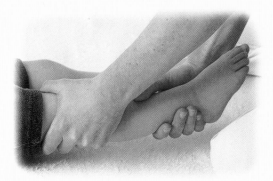

Alternação da mão

Movimento imediatamente reiniciado por uma mão quando a outra acaba de fazê-lo.

Percussão

O uso do peso das mãos relaxadas em concha para toques ritmados na parte dianteira ou traseira do corpo do bebê.

Antes de começar

Ao se preparar para uma massagem, procure estar calma e concentrada – se você estiver distraída ou apressada, seu bebê não conseguirá relaxar. Se ele não reagir bem logo na primeira tentativa, insista – geralmente, bastam três ou quatro sessões para que os bebês comecem a gostar da massagem. Lembre-se: não é preciso praticar toda a primeira seqüência logo na primeira vez. Pare quando o bebê quiser e vá construindo a rotina aos poucos, cada vez que lhe der uma nova massagem.

- Escolha um local onde possa permanecer sem ser interrompida por cerca de uma hora. A temperatura deve ser agradável, sem correntes de ar.
- Use roupas confortáveis, folgadas.
- Lave as mãos, aqueça-as e retire todas as jóias que possam arranhar a pele do bebê.
- Deite o bebê numa superfície macia e quentinha, como uma toalha grossa de algodão, por exemplo. Evite a lã, que pode irritar as peles oleosas.
- Deixe a tigela com óleo para a massagem ao alcance da mão.

Ao começar, o mais importante é relaxar e desfrutar do processo. A massagem deve ser extremamente agradável para vocês dois. Se o bebê não reagir bem, pare, amamente-o ou carregue-o nos braços e então volte a tentar. Os bebês que resistem à massagem geralmente são os que mais precisam dela e também os que acabam desfrutando mais no fim.

Enquanto massageia o seu bebê:

- Mantenha o ritmo no toque e use a imaginação. Deixe as preocupações de lado e concentre-se naquilo que está fazendo.

Se achar desconfortável sentar no chão, você pode massagear seu bebê numa cama.

Sente-se numa almofada com as pernas estendidas para a frente.

- Cante para seu bebê e converse com ele. Procure manter contato visual olho no olho.
- Pare sempre que o bebê chorar. A massagem deve ser feita com o bebê e não contra ele.
- Se o bebê não reagir bem, inicialmente você pode tentar massageá-lo vestido.

É importante que você se mantenha relaxada e numa posição confortável durante a massagem. As posições acima e ao lado podem ser mantidas com relativa facilidade. Porém, independentemente de como estiver sentada, procure adotar uma postura que lhe permita debruçar-se sem forçar as costas. Caso sinta desconforto durante a massagem, faça uma pausa e mude de posição.

Pegue uma almofada, ajoelhe-se e sente-se confortavelmente sobre as pernas, com os joelhos entreabertos. Relaxe ombros e braços.

Apresentando o seu

Principais benefícios

- Intimidade e alegria entre mãe e bebê.
- Descoberta dos tipos de carícias que o bebê mais aprecia e dos locais do corpo em que ele prefere ser acariciado.
- Transmissão da sensação de amor e proteção ao bebê. Reforço do vínculo físico e emocional entre o bebê e o pai.
- Contato de pele entre genitor(a) e bebê.
- Desenvolvimento da sensação de segurança do bebê.
- Auxílio à digestão.
- Fortalecimento do sistema imunológico do bebê.

bebê à massagem

Toda mãe quer abraçar seu bebê e estabelecer contato de pele antes que ele seja pesado, medido, banhado ou vestido. O tato constitui a primeira linguagem do recém-nascido e é quando é abraçado e acariciado que o bebê se sente bem-vindo e amado. Esse período logo após o nascimento – que para a mãe é delicado tanto do ponto de vista físico quanto do ponto de vista emocional – é o momento em que o bebê é literalmente acolhido no seio da família. Entretanto, trata-se de um momento que pode ser recriado posteriormente, se, por alguma razão, isso for impossível logo após o nascimento do bebê.

Embora a necessidade de sermos abraçados, afagados e tocados continue ao longo de toda a vida, ela é mais intensa na tenra infância, durante o período anterior à fala. Em muitas outras culturas e países – como a Índia, a África e o Sudeste Asiático – os bebês são massageados diariamente desde o dia em que nascem. E, embora às vezes seja tarefa da parteira, a massagem pode ser feita mais facilmente e ainda com mais proveito pela mãe da criança.

A maioria dos bebês muito novinhos se sente incomodada e demasiado exposta quando está sem roupa. Portanto, o momento é mais próprio para carícias mais leves e menos incomodativas que para uma massagem mais estruturada. Deixe-se levar pela intuição nos primeiros dias de vida do seu bebê, primeiro abraçando-o e acalentando-o, para depois acariciá-lo e acostumar-se mais a ele. O bebê logo se habituará a ter a massagem em sua rotina; portanto, nessa fase, use o toque para incutir-lhe segurança, confiança e afeto.

Dormir e acordar

Os bebês recém-nascidos geralmente passam a maior parte do tempo dormindo – às vezes até 18 horas por dia! Há cinco diferentes tipos de sono e vigília que tendem a verificar-se em ciclos de cerca de duas horas – os recém-nascidos não têm noção do dia e da noite. O ciclo vai do sono profundo ao sono leve e daí à inquietação, à amamentação e à vigília propriamente dita, após a qual o bebê fica novamente sonolento e volta a cair no sono profundo.

Quando tem entre seis e oito semanas, o bebê dorme em média 15 horas por dia, a maioria das quais pode concentrar-se na noite. Porém, é possível que seu bebê leve algum tempo até começar a dormir a noite inteira – isso em geral começa a acontecer após os 12 meses.

Depois que o bebê tiver despertado, mamado e entrado num estado de vigília tranqüila, você pode começar a apresentá-lo à massagem, começando pelo desenvolvimento do seu próprio tato. São esses os momentos em que você deve deixar-se levar pela sua intuição e pelas reações do seu filho –

lembre-se que ele ainda está se acostumando a seu novo mundo. Tentar massageá-lo quando ele não estiver reagindo bem não trará benefício algum a nenhum dos dois. À medida que o tempo passa, os períodos de vigília do bebê vão se ampliando e, assim, suas oportunidades de massageá-lo aumentarão. Mas se você o acostumar a ser tocado e acariciado nessa fase, facilitará muito a futura introdução da massagem formal em sua rotina. Use as carícias descritas ao lado para desenvolver a sensação de intimidade e alegria entre você e o seu bebê.

Olhe nos olhos do seu bebê enquanto o acaricia. Faça movimentos lentos e relaxados.

1

Deite-se de lado com o bebê na sua frente, deitado sobre o lado direito. Usando toda a sua mão direita, acaricie-o desde a parte de trás do pescoço até a base da coluna – da mesma forma que você acariciaria um gatinho ou um cachorrinho.

• *Continue por cerca de um minuto.*

2

Com movimentos circulares, massageie suavemente a parte superior das costas do bebê e vá descendo ao longo das costas até a base da coluna.

• *Continue por cerca de um minuto.*

3

Em seguida, estenda esse movimento ao bracinho do bebê. Mantenha a suavidade e o relaxamento no toque enquanto vai do ombro à mãozinha.

• *Continue por cerca de um minuto. Repita os movimentos com o braço direito do bebê.*

4

Coloque a mão no alto da perna do bebê e faça a palma deslizar do quadril ao pé. Sacuda levemente a perninha para soltá-la e ajudá-lo a relaxar.

• *Continue por cerca de um minuto. Repita os movimentos com a perna direita do bebê.*

O choro

Todos os bebês choram – o choro é a sua forma de se comunicar com os pais e de mostrar-lhes como se sente. Durante os primeiros seis meses de vida, o tempo que seu bebê passa chorando poderá aumentar à medida que cresce o desejo de ele se comunicar com você. Você aprenderá a interpretar-lhe o choro e a identificar quando ele tem fome, quando está se sentindo desconfortável e quando está só.

Às vezes, o bebê chora sem haver uma razão específica – foi amamentado, trocado e carregado, mas continua inquieto. Esses episódios de choro aparentemente inexplicável em geral se devem a uma necessidade de contato físico, quando o bebê quer ficar no colo. Nessas situações, o poder do toque surte grande efeito. Aprendendo onde e como o seu bebê mais gosta de ser acariciado, você conseguirá acalmá-lo mais depressa.

Esse modo de reconfortar começa pelo uso de uma série de toques e carícias que fazem o bebê sentir-se amado e protegido. Seja calma nos movimentos e leve no toque – e, se o bebê não reagir bem, tente a massagem do tigre na árvore (página 84).

O choro por causa da fome em geral começa com um choramingo e depois se torna rítmico; o choro pela raiva é alto e intenso; o choro de dor é abrupto. Você logo aprenderá a interpretar o choro do seu bebê.

Quando se certificar de que seu bebê não está chorando porque sente fome ou desconforto ou porque está doente, sente-se numa posição confortável e experimente deitá-lo de bruços sobre os seus joelhos. Acaricie-lhe as costas e pernas de cima para baixo, com movimentos lentos e suaves, para acalmá-lo.

A alimentação

Tendo em vista o ciclo normal de duas horas do bebê recém-nascido, é possível que ele mame até dez vezes por dia. Em geral, é melhor massageá-lo nos intervalos entre as mamadas, pois ele não estará com o estômago cheio nem com fome. Entretanto, você poderá orientar seu bebê para mamar (independentemente de o estar amamentando no peito ou com a mamadeira) e incentivá-lo a "aderir à onda". O melhor seria não distrair o bebê enquanto ele mama, embora algumas mães, intuitivamente, acariciem a cabeça e as costas de seus filhos. O contato visual que o/a pai/mãe estabelece com o bebê talvez atinja o nível mais gratificante enquanto ele satisfaz a própria fome. Não é por coincidência que o foco de visão de um recém-nascido se restringe a 35cm – a distância entre o peito e o rosto da mãe. E essa intimidade também pode ser compartilhada quando você alimenta o bebê na mamadeira, se o carregar nos braços à altura do peito.

Aplicada regularmente, a massagem estimula o apetite e auxilia a digestão. Assim, os bebês que são massageados com regularidade ganham peso mais depressa que os demais.

Orientação

Se você estiver amamentando o seu filho no peito, experimente usar o mamilo para acariciar-lhe as bochechas. Quando ele abrir bem a boca, leve-o ao peito.

Se o seu bebê estiver se recusando a mamar, experimente alterar sua posição na hora da amamentação – ele talvez precise ser colocado numa posição um pouco mais vertical, de forma a ficar com o peito de frente para o seu e o queixo apoiado no seu seio.

Caso você esteja preocupada com o peso do seu bebê, ou tiver algum problema para dar-lhe de mamar, procure sempre a ajuda de um profissional. A amamentação deve ser confortável e prazerosa para vocês dois.

O pai e o bebê

Segurando o bebê na base da coluna e na parte posterior da cabeça, você terá uma posição segura e confortável para estabelecer contato visual com ele.

O pai não vivencia os nove meses de intimidade física que a mãe compartilha com o bebê durante o primeiro período de crescimento e desenvolvimento dentro do corpo dela. Algumas mães dizem que "sabem" qual o momento exato em que conceberam; outras, que sentem o bebê "flutuando" no útero nas primeiras semanas. Posteriormente, é claro, os movimentos se fazem sentir com intensidade cada vez maior, à medida que o bebê se movimenta e pressiona as paredes do útero.

A primeira vez que o pai tem contato físico direto com o seu filho é quando ele nasce, quando o bebê lhe é entregue. Tocar e carregar uma pessoa tão pequenininha às vezes representa uma tarefa assustadora para os pais – é importante que ambos tenham total oportunidade de "se conhecer".

O tempo que passam junto a seus filhos é benéfico para os pais, e a massagem pode ajudá-los a desenvolver o próprio tato e seu "jeito" no cuidado com o bebê. As técnicas de massagem aqui apresentadas estimulam a confiança entre pai e filho e aumentam a segurança do pai em sua própria capacidade de trocar e banhar o bebê e de ajudar mais nos cuidados diários. Além disso, a massagem contribuirá para reforçar a relação física e afetiva entre pai e filho. Aprendendo a lidar melhor com o bebê, o pai terá mais condições de acalmar e confortar o filho quando a mãe precisar descansar.

Você pode adaptar os movimentos para usá-los em qualquer ocasião em que simplesmente esteja ao lado do bebê. Faça-lhe carícias nas costas e em torno do pescoço e dos ombros enquanto ele estiver no seu colo.

Procure deitar-se de maneira confortável e mantenha os ombros relaxados durante a massagem.

1

Deite-se de lado com o bebê à sua frente, também deitado de lado. Acaricie o bebê usando o peso da mão direita relaxada, começando com um movimento circular na parte superior das costas.

2

Em seguida, continue com esse mesmo movimento ao longo das costas do bebê até a base da coluna.

3

Usando a palma da mão, acaricie lenta e suavemente a parte superior da cabeça do bebê com um movimento circular.

• *Repita enquanto o bebê estiver relaxado e à vontade.*

A hora da barriguinha

O tempo que o bebê novinho passa deitado de bruços enquanto está acordado contribui mais para a saúde estrutural e o bom funcionamento do seu organismo do que qualquer outra posição. Quando o bebê deita de bruços, ele levanta a cabeça para olhar em torno de si, fortalecendo assim os músculos do pescoço. Depois que atinge essa fase, ele passa a levantar a cabeça e os ombros, fortalecendo braços e ombros e aumentando a flexibilidade da espinha dorsal.

Quanto mais do seu tempo de vigília o bebê passar deitado de bruços, mais facilidade terá para engatinhar depois. O desenvolvimento dos bebês que não costumam ficar deitados de bruços geralmente é mais tardio.

Após conseguir isso, ele irá levantar ainda mais a cabeça e os ombros. Isso abre o peito do bebê, permitindo-lhe atingir um ritmo de respiração mais profundo e aumentando sua capacidade pulmonar.

O ritmo mais profundo da respiração beneficia imensamente o coração e os pulmões. O aumento da oxigenação é benéfico também para todos os outros órgãos e para o sistema imunológico do bebê. E, à medida que o peito se abre, o mesmo ocorre com a cavidade abdominal, o que ajuda a digestão.

Para completar essa fase gradual de desenvolvimento, o bebê levantará a cabeça, o peito, os braços e os ombros e, por fim, as pernas e os pés, numa bela demonstração de força e flexibilidade. É importante estimulá-lo a permanecer de bruços parte do tempo em que está acordado. Assim, se o seu bebê inicialmente demonstrar desconforto, use a seguinte técnica.

Para diminuir a incidência de mortalidade no berço, os pais são aconselhados a evitar que o bebê durma de bruços. Entretanto, a regularidade dos períodos que ele passa deitado de bruços enquanto está acordado é de extrema importância para o seu desenvolvimento.

A hora da barriguinha

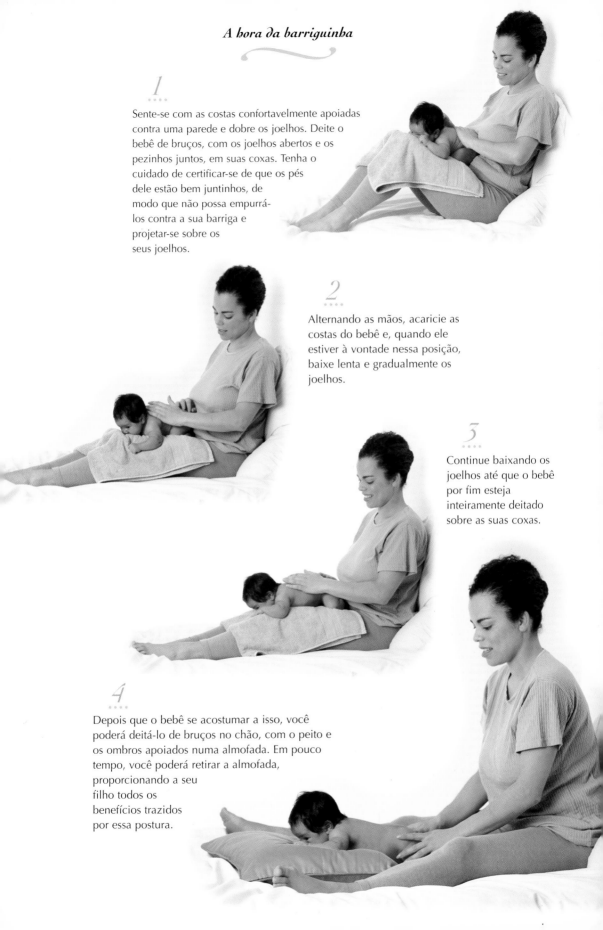

1

Sente-se com as costas confortavelmente apoiadas contra uma parede e dobre os joelhos. Deite o bebê de bruços, com os joelhos abertos e os pezinhos juntos, em suas coxas. Tenha o cuidado de certificar-se de que os pés dele estão bem juntinhos, de modo que não possa empurrá-los contra a sua barriga e projetar-se sobre os seus joelhos.

2

Alternando as mãos, acaricie as costas do bebê e, quando ele estiver à vontade nessa posição, baixe lenta e gradualmente os joelhos.

3

Continue baixando os joelhos até que o bebê por fim esteja inteiramente deitado sobre as suas coxas.

4

Depois que o bebê se acostumar a isso, você poderá deitá-lo de bruços no chão, com o peito e os ombros apoiados numa almofada. Em pouco tempo, você poderá retirar a almofada, proporcionando a seu filho todos os benefícios trazidos por essa postura.

A rotina completa da massagem

Principais benefícios

- Aquisição de equilíbrio e boa postura.

- Coordenação muscular e agilidade.

- Flexibilidade nas articulações.

- Detecção e liberação de tensão nos músculos e articulações.

- Fortalecimento das costas.

- Digestão – permite que o estômago relaxe.

- Aumento do bem-estar pela maximização do potencial respiratório.

- Estímulo ao pleno desenvolvimento do bebê.

- Alinhamento da coluna e desbloqueio do fluxo interno de energia.

- Exposição da pele à luz e ao oxigênio.

A partir dos dois meses de idade, seu bebê já estará se sentindo um pouco menos vulnerável. É provável que ele já goste de ficar nu e que tenha perdido parte da flexão fisiológica que mantinha seus braços e pernas voltados para o tronco, obrigando-o a manter a postura semifetal própria do recém-nascido. Quando ele chegar a essa fase, você pode ir aos poucos introduzindo a rotina "dos pés à cabeça", a seguir apresentada. Ela o ajudará a atingir o máximo em cada fase de desenvolvimento ao longo dos meses seguintes.

A maioria dos bebês prefere que a massagem comece pelos pés e pernas e continue em direção à parte superior do corpo, já que desse modo a abordagem é gradual e não invasiva, permitindo que o bebê se acostume à rotina. Ela consiste numa seqüência de técnicas de massagem que começam pelos pés e prosseguem aos poucos pelo resto do corpo, contribuindo para a saúde estrutural e a boa forma do bebê. A rotina estimula a flexibilidade das principais articulações, relaxa os músculos e proporciona uma sólida base para a boa postura e a futura mobilidade.

A rotina deve ser praticada regularmente – se possível, todos os dias –, proporcionando a você e a seu bebê um momento especial de intimidade. Escolha um horário no qual ele esteja em seu maior "pique", isto é, com a barriga não muito cheia nem faminto ou cansado. Acima de qualquer outra coisa, a massagem é algo que você deve fazer com o bebê e não contra ele. Portanto, observe as pistas que ele lhe der e acompanhe a massagem com muitos beijos e abraços.

Você não precisa executar toda a seqüência de uma só vez – procure realizá-la aos poucos –, mas tente ir acrescentando movimentos até chegar a uma sessão completa. As técnicas foram pensadas para formar um todo, de modo a finalmente massagear todas as partes do corpo do bebê.

Dos pés...

A massagem dos pés é uma das mais antigas e eficazes formas de massoterapia, pois pode ser extremamente relaxante para todo o corpo. Ela será apreciada pelo seu bebê e, além disso, contribuirá para o equilíbrio e a postura na medida em que ajuda a abrir e alongar os dedinhos, calcanhares e pés.

As plantas dos pés do bebê são muito sensíveis. Quando acariciadas, elas reagem com um reflexo, fazendo os dedinhos se curvarem. Por isso, é preferível que você se concentre no peito e nas laterais do pé, que são menos suscetíveis às cócegas. Se você acariciar o peito do pé e a parte externa do tornozelo, estimulará o bebê a estirar os dedinhos, portanto concentre-se nessas áreas para obter os melhores resultados.

Quando o bebê estiver mais crescidinho e começar a caminhar, você deve deixá-lo gozar a liberdade de ficar descalço nas primeiras seis semanas, para que os pés possam desenvolver-se, espalhar-se e assumir sua forma natural. Só depois é que você deve calçar-lhe os sapatinhos. Para que o bebê tenha segurança ao ficar de pé, os calcanhares precisam apoiar-se com firmeza no chão. Por isso, você deve evitar estimulá-lo a ficar nas pontas dos pés: quanto mais ele o fizer, mais inseguro se sentirá e mais dificuldade terá para equilibrar-se. A seguinte técnica ajudará seu bebê a abrir os pés e a firmar os calcanhares, preparando-se para ficar de pé, principalmente se seus pezinhos tiverem tendência a curvar-se para dentro.

Já que esta massagem é relativamente fácil de aplicar, você poderá massagear os pés de seu bebê em qualquer lugar em que estiverem sentados — mesmo que ele esteja de meias. A fricção dos pés também pode acalmar o bebê quando ele estiver indisposto.

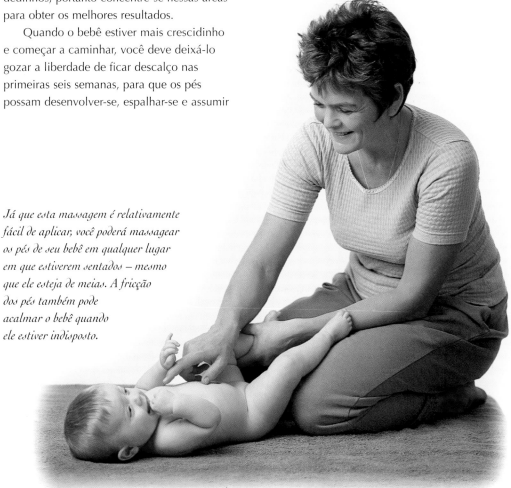

1
....

Unte bem as mãos com óleo. Amasse e friccione levemente o peito do pé do bebê com as mãos.

• *Continue por 2-3 minutos.*

2
....

Em seguida, role cada dedinho entre o polegar e o indicador, separando lentamente cada um deles até que se abram ligeiramente.

• *Continue por cerca de 20 segundos.*

3
....

Agora puxe suavemente todo o pé, alternando as mãos, ao longo de suas palmas. Você provavelmente terá de voltar a untá-las quando chegar a este ponto da massagem.

• *Continue por cerca de 20 segundos.*

4
....

Flexione o tornozelo do bebê e alongue o calcanhar, virando o pé para fora com uma das mãos enquanto fricciona a panturrilha com a outra.

• *Continue por cerca de 20 segundos. Repita com o outro pé.*

...às pernas...

A partir dos dois meses, seu bebê começará a exercitar vigorosamente as pernas, chutando e estirando-as diariamente por horas e horas numa maravilhosa demonstração de capacidade aeróbica. Esses movimentos aumentam a força e a coordenação dos músculos posturais – das panturrilhas, coxas e glúteos –, criando e mantendo flexibilidade nos quadris e joelhos. A força e a coordenação desses músculos, juntamente com a flexibilidade dessas articulações, fornecem ao bebê uma sólida base para as posturas eretas e para uma ampla gama de movimentos.

Tanto o sentar-se quanto o ficar de pé exigem equilíbrio, e este se torna muito mais fácil quando o bebê dispõe de juntas flexíveis, que lhe proporcionam uma base estável. Assim, seu bebê ganhará segurança para erguer-se quando sentir que as bases do corpo – as pernas – estão fortes e flexíveis.

A massagem nas pernas contribuirá para promover o desenvolvimento da coordenação, fortalecer a parte inferior das costas e manter a flexibilidade dos joelhos e tornozelos. Além disso, permitirá que se detectem e corrijam possíveis áreas de tensão ou rigidez nos músculos e articulações.

Estas técnicas de massagem deixarão as pernas de seu bebê inteiramente relaxadas e muito ágeis.

1
....

Segure as duas perninhas do bebê pelos tornozelos e solte-as um pouco, fazendo-as "pedalarem" devagar, dobrando-as e estirando-as alternadamente.

• *Continue por cerca de 20 segundos.*

2
....

Em seguida, ponha a mão esquerda no alto da perna direita do bebê e faça-a deslizar, alternando as mãos, correndo as palmas untadas de óleo ao longo de toda a extensão da perna até chegar ao pezinho.

• *Repita 4-5 vezes.*

3
....

Segure o tornozelo direito do bebê com sua mão direita e massageie-lhe a coxa com a esquerda. Massageie a frente e, em seguida, a parte de trás da coxa.

• *Repita 4-5 vezes.*

4
....

Agora, puxe novamente a perna toda, desde a coxa ao pé, alternando as mãos.

• *Repita a seqüência com a perna esquerda do bebê.*

5
....

Sacuda as pernas do bebê e pouse as mãos na parte interior das coxas. Vire as mãos para fora e corra-as pela parte posterior dos joelhos e das panturrilhas. Continue deslizando as mãos pelas partes anterior e posterior das pernas do bebê.

• *Repita 4-5 vezes.*

...aos quadris...

A flexibilidade dos quadris é essencial à boa postura do bebê, pois neles estão as articulações que apóiam a coluna e a pélvis. A mobilidade dessa área também é muito importante para a agilidade da parte inferior do corpo.

Os bebês dispõem de uma incrível gama de movimentos pélvicos – eles podem colocar os dedos dos pés na boca praticamente sem nenhum esforço. Porém, à medida que o tempo passa, a maioria perde essa maravilhosa flexibilidade. A massagem dos quadris ajudará o bebê a manter a flexibilidade dessas articulações enquanto cresce e se fortalece. Aplicada regularmente, ela permite ao bebê manter a sua vasta gama de movimentos ao mesmo tempo que adquire uma boa postura para sentar e ficar de pé.

Embora os quadris do bebê sejam examinados logo após o nascimento, você pode verificar se eles estão se desenvolvendo saudavelmente observando se "estalam" quando ele se movimenta, se o bebê consegue abrir completamente os joelhos para os lados, se os joelhos têm o mesmo aspecto quando aproximados e dobrados e se as duas pequenas covinhas na base da coluna são uniformes quando o bebê deita de bruços.

Siga os passos na seqüência em que são apresentados. Jamais force os movimentos e, se achar que o bebê se sente desconfortável em alguma das posições, consulte o pediatra.

Os bebês que ficam de pé antes de aprender a sentar corretamente são mais propensos a ter pouca flexibilidade nos quadris. Se o seu bebê gosta de fazer isso, procure aplicar-lhe regularmente a seguinte massagem.

1

Deite o bebê de costas e segure-lhe as perninhas pelos tornozelos. Verifique se as pernas estão relaxadas fazendo-as "pedalarem" algumas vezes – dobrando-as e estirando-as ritmicamente uma após a outra.

* *Continue por cerca de 20 segundos.*

2

Agora, junte as plantas dos pés do bebê e deixe que os joelhos se dobrem para fora.

* *Continue por cerca de 20 segundos.*

4

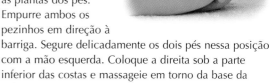

Segure ambas as pernas do bebê pelos tornozelos e faça-o dar algumas pedaladas. Em seguida, junte-lhe as plantas dos pés. Empurre ambos os pezinhos em direção à barriga. Segure delicadamente os dois pés nessa posição com a mão esquerda. Coloque a direita sob a parte inferior das costas e massageie em torno da base da coluna.

* *Continue por cerca de 20 segundos.*

3

Com a mão direita, leve o pé direito do bebê até a barriguinha, deixando o joelho dobrar para fora, e segure delicadamente o pé sobre o umbigo. Mantenha a mão direita nessa posição enquanto aperta e fricciona levemente o glúteo direito e a parte posterior da coxa com a mão esquerda. Faça isso por cerca de 30 segundos e então sacuda lenta e suavemente a perna do bebê até estirá-la por completo.

* *Repita a seqüência com a perna esquerda do bebê.*

5

Sacuda ligeiramente as duas perninhas do bebê, dobrando-as e estirando-as. Finalize acariciando a parte anterior das pernas, dos quadris aos pés, usando o peso das mãos relaxadas.

* *Repita 4-5 vezes.*

...à barriga...

Todas as emoções se refletem numa mudança muscular. Isso é mais evidente no abdômen que em qualquer outra parte, pois ele é o centro emocional do corpo. A barriga se contrai diante do medo e da ansiedade e se relaxa quando estamos tranqüilos. Se você colocar a mão na barriguinha do bebê quando ele está relaxado e alegre, verá que ela está macia e maleável; se fizer o mesmo quando ele está indisposto, verá que ela está contraída e rígida.

A massagem na barriga ajuda a relaxar o bebê. Além disso, pode aliviar o *stress*, a ansiedade e o trauma do nascimento. O relaxamento do abdômen facilita a digestão,

já que permite a descida do diafragma, situado na base dos pulmões, aumentando o volume de oxigênio e criando uma suave onda interior que acalma os órgãos digestivos a cada inspiração. A massagem na barriga pode, além disso, aliviar as cólicas e a constipação.

Espere até que o umbigo esteja cicatrizado para massagear a barriguinha do bebê e nunca o faça quando ele se mostrar indisposto – nesse caso, experimente a técnica do tigre na árvore (página 84), especialmente indicada para induzir a tranqüilidade.

Se o seu bebê resistir à massagem na barriga, dê tapinhas e faça cócegas bem de leve na região. Em seguida, coloque a mão sobre ela por alguns instantes. Depois que o bebê aceitar isso, você poderá passar a uma sessão de massagem propriamente dita.

1

Usando apenas o peso da mão relaxada, massageie a barriga do bebê com movimentos circulares feitos no sentido horário, que é o mesmo sentido da comida quando passa pelo sistema digestivo.

- *Repita 4-5 vezes.*

2

Coloque a mão em concha sobre a barriga do bebê, no sentido transversal. Empurre-a delicadamente de um lado a outro da barriga, entre os quadris e as costelas inferiores. Jamais faça movimentos descendentes ao empurrar a mão na barriga do bebê, pois isso provoca extremo desconforto.

- *Continue por cerca de 20 segundos.*

3

Massageie o lado esquerdo do corpo do bebê, alternando as mãos, entre o quadril e as costelas inferiores. Faça movimentos de cima para baixo e de um lado para o outro, logo abaixo do umbigo.

- *Repita várias vezes em cada lado.*

4

Repita a primeira parte da massagem pondo a mão em concha em torno da barriga do bebê, no sentido horário. Desta vez, quando a mão deslizar sobre o osso púbico, sob o umbigo, levante os dedos, de forma que a base de sua mão, junto ao punho, aplique um pouco mais de pressão ao movimento. Esse é o local em que estão a bexiga e a parte inferior do cólon – portanto, não se surpreenda se o bebê urinar. É possível que também haja liberação de gases ou resíduos presos na extremidade do intestino.

- *Continue por cerca de 20 segundos.*

...ao peito...

A massagem regular no peito permite ao bebê relaxar e respirar mais profundamente, fazendo-o sentir-se saudável e cheio de energia.

O oxigênio é o espírito da vida – quanto mais profundamente respiramos, melhor nos sentimos. Quando adultos, ao sofrermos um choque físico ou emocional, nós espontaneamente inspiramos fundo ou ofegamos. Quando estamos estressados (o que se revela através de um ritmo respiratório rápido e superficial), inspiramos compassadamente para nos acalmar. Isso nos ajuda a manter a sensação de relaxamento e bem-estar, já que assim as células recebem um suprimento abundante de oxigênio.

O ritmo respiratório abdominal do bebê é intuitivamente saudável – a barriga e as costelas inferiores se expandem quando ele inspira, enchendo os pulmões de ar, e se contraem em harmonia quando eles são esvaziados. Seu bebezinho vai começar a abrir cada vez mais o peito quando estirar os braços e começar a fortalecer e endireitar as costas, preparando-se para as posturas eretas e a locomoção.

Você poderá incentivá-lo a manter um saudável ritmo respiratório, beneficiando-se da respiração abdominal. O peito aberto e o ritmo respiratório relaxado contribuirão para o crescimento e o desenvolvimento do bebê, promovendo sua resistência e recuperação no caso de doenças e infecções.

Além disso, a tensão muscular na região do peito pode ser o resultado da repressão do choro ou de um choro prolongado. Mobilizando o peito e a caixa torácica do bebê através da massagem, você lhe permitirá respirar com mais profundidade e eficácia.

1

Sentada confortavelmente, com o bebê deitado à sua frente no chão, coloque as mãos untadas e relaxadas no meio do peito do bebê.

2

Agora, usando a base das mãos relaxadas, massageie de cima para baixo e de dentro para fora em torno da parte inferior da caixa torácica, trazendo as mãos de volta ao meio do peito do bebê.

• *Repita 4-5 vezes.*

3

Coloque as mãos no meio do peito do bebê e massageie-lhe os ombros de baixo para cima e de dentro para fora, trazendo as mãos de volta novamente ao meio do peito.

• *Repita 4-5 vezes.*

4

Com as mãos em concha, dê leves tapinhas na parte superior e nas laterais do peito do bebê, fazendo movimentos de percussão.

• *Continue por cerca de 20 segundos.*

...aos ombros e aos braços...

O recém-nascido mantém os braços dobrados e colados ao peito ou às laterais do corpo. Ele não os abre imediatamente e, às vezes, demora um pouco até que ele queira ou consiga fazê-lo. Ao ouvir um som imprevisto, ele abre involuntariamente os braços e depois volta a juntá-los, como se estivesse se abraçando. Esse é o "reflexo de susto", que desaparece gradualmente entre os dois e os três meses, quando o bebê passa a ter maior controle sobre os movimentos.

A abertura voluntária dos braços requer um grau de força e coordenação que demora para ser adquirido. Durante o curso normal do desenvolvimento, o bebê começa abrindo os braços para baixo, depois para os lados e, por último, para cima. O movimento para os lados abre e relaxa os ombros e o peito e, ao mesmo tempo, fecha e fortalece a parte superior das costas, agindo no sentido transversal. O alongamento para cima – levantamento dos braços e ombros acima da cabeça – abre o peito e fecha e fortalece a parte inferior das costas, agindo de cima para baixo.

Massageando os ombros e os braços do bebê conforme a ordem seguida pelo seu desenvolvimento natural, você lhe garantirá flexibilidade total nos ombros e agilidade nos músculos dos braços.

Divirta-se com seu bebê enquanto o massageia – segure suas mãozinhas e sacuda levemente seus braços para soltá-los um pouco.

Você poderá estimular seu bebê a abrir os braços para os lados fazendo-o bater palmas bem rapidamente para relaxá-lo antes de abrir-lhe os bracinhos.

1

Deite o bebê de costas diante de você e, com as mãos bem untadas, trabalhe a partir do alto do peito, deslizando as mãos para cima e para fora dos ombros e de volta ao centro.

• *Continue por cerca de 20 segundos.*

2

Deixe as mãos deslizarem para cima e para fora dos ombros do bebê e então puxe-lhe suavemente os bracinhos para baixo, ao longo do corpo, com as palmas das mãos. Mantendo o contato tátil, deslize as mãos de volta à parte superior do peito.

• *Repita 4-5 vezes.*

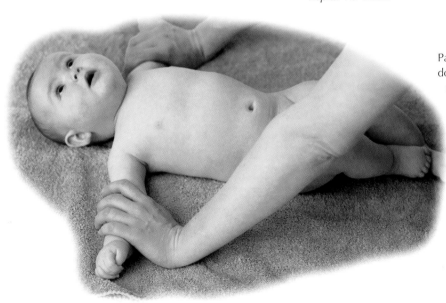

3

Partindo da parte superior do peito, deslize suas mãos sobre os ombros do bebê, num movimento de dentro para fora, e delicadamente puxe-lhe os bracinhos para cima até a altura dos ombros. Deslize as mãos de volta ao alto do peito.

• *Repita 4-5 vezes.*

4

Só depois que o bebê se acostumar totalmente aos três passos anteriores é que você pode passar a este. Coloque as mãos nas laterais do peito do bebê, sob os braços, e puxe-os delicadamente para cima, com as palmas de suas mãos, até colocá-los acima da cabeça do bebê. Mantenha as mãos sobre a pele do bebê e deslize-as levemente de volta ao peito.

• *Repita 4-5 vezes.*

...às mãos...

Como instrumentos de tato, nossas mãos são os mais fantásticos órgãos da percepção. Em geral, quando falamos do tato, nós o associamos exclusivamente às mãos. Isso porque boa parte do nosso dia-a-dia depende do uso hábil das mãos – nós as usamos de diversas maneiras, para segurar, criar, acariciar e comunicar.

O recém-nascido primeiro tem de adquirir força e coordenação para usar bem as mãos. Se você colocar o dedo na mão de um recém-nascido, ele o apertará com força, num movimento involuntário, conhecido como "reflexo de preensão".

Esse reflexo desaparece entre os dois e os três meses, permitindo que o bebê abra e relaxe mais as mãos. Além disso, ele adquire o controle necessário para segurar os objetos que lhe são colocados nas mãos.

Ainda será preciso algum tempo até que o bebê tenha uma noção melhor de distância para poder alcançar, agarrar e segurar os objetos – isso geralmente se processa por volta dos cinco meses. E, com seis meses, ele talvez já seja capaz de segurar a mamadeira enquanto mama e a passar os objetos de uma mão para a outra. Aos sete meses, ele conseguirá segurar um pedaço de pão e comê-lo. Aos nove, poderá pegar pequenos objetos e segurá-los entre o polegar e o indicador. Por volta dos 11-12 meses, o bebê consegue colocar e soltar um objeto na mão de outra pessoa.

A massagem nas mãos costuma ser muito apreciada pelos bebês e, quando praticada regularmente, ajuda-os a relaxar e a abrir os dedos.

Você talvez note que, por volta dos dois ou três meses, o bebê observa as próprias mãos com muita atenção. Ele começará a demonstrar vontade de segurar os objetos antes de conseguir alcançá-los e agarrá-los.

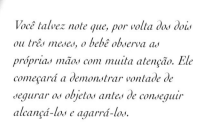

2

Agora, relaxe ainda mais a mão do bebê massageando-lhe a palma e o dorso com os polegares e os indicadores. Trabalhe partindo do pulso até os dedinhos, apertando suavemente para diante e para trás.

• *Repita 3-4 vezes.*

1

Comece abrindo a mãozinha do bebê e friccionando-a entre as palmas das suas.

• *Continue por cerca de 20 segundos.*

3

Abra os dedinhos do bebê e puxe-os lentamente, um por um, com seu polegar e indicador.

• *Continue por cerca de 20 segundos.*

Se usar óleo para esta massagem, use um de origem orgânica e limpe as mãos do bebê quando acabar – os bebês estão sempre colocando os dedinhos na boca.

4

Agora, friccione toda a mãozinha novamente com as palmas das suas mãos.

• *Repita toda a seqüência com a outra mão do bebê.*

...às costas e à coluna...

A coluna tem importância fundamental dentro da estrutura esquelética do corpo – ela sustenta a cabeça e os órgãos vitais e constitui um elemento de ligação entre os membros. A coluna também abriga o sistema nervoso central e é a fonte de nossos movimentos. Portanto, a integridade da

Não puxe nem levante o bebê pelos braços durante esta massagem – mantenha-os sempre abaixadinhos, ao longo do corpo.

espinha dorsal do bebê tem papel fundamental em sua saúde e forma física, tanto durante a infância como na vida adulta.

O bebê começa a preparar o corpo para as posturas eretas logo nas suas primeiras semanas de vida, mas os músculos das costas só começam a ganhar força quando ele se deita de bruços e, gradualmente, aprende a levantar a cabeça. Nessa fase, o bebê começa a "firmar-se" no abdômen e, pouco a pouco, irá levantando a cabeça, o peito, os ombros, braços e pernas do chão, atingindo por fim uma postura vital para seu desenvolvimento, conhecida como "a posição do nadador".

A massagem durante essa fase normal do desenvolvimento tornará as costas e a coluna do bebê mais fortes e flexíveis, permitindo que ele adquira uma excelente postura e um corpo bem proporcionado. Além disso, promoverá o alongamento da parte dianteira do corpo, proporcionando-lhe um ritmo respiratório mais profundo e um maior relaxamento do abdômen.

Beije a cabeça do bebê e, de vez em quando, sopre de leve seus ombros e coluna – torne a massagem algo divertido para ambos!

1
· · · ·

Unte as mãos com bastante óleo. Com o bebê deitado de bruços, massageie-lhe as costas, alternando as mãos — começando pelos ombros e deslizando ao longo da coluna. Faça carícias firmes e prolongadas, mas mantenha as mãos relaxadas e procure distrair o bebê enquanto o massageia, talvez fazendo-lhe um pouquinho de cócegas de vez em quando!

• *Repita 4-5 vezes.*

2
· · · ·

Com as mãos ligeiramente fechadas, dê tapinhas firmes nas costas e ombros do bebê, repetindo o processo ao longo da extensão da coluna, de cima para baixo e vice-versa. Todos gostam de um tapinha nas costas, e seu bebê não é uma exceção!

• *Continue por cerca de 20 segundos.*

Quando o bebê já conseguir apoiar o peso nos bracinhos, você poderá ampliar a sessão de massagem. Unte bem as mãos e, com uma delas, segure o peito do bebê pelo meio. Em seguida, deslize essa mesma mão pela frente do ombro esquerdo e ao longo da extensão do braço umas duas vezes, tendo o cuidado de mantê-lo na linha do peito, sem levantá-lo para trás.

• *Repita com o braço direito do bebê.*

Coloque ambas as mãos na frente do peito do bebê e puxe-lhe delicadamente os ombros para trás, a fim de abri-los o máximo possível, sem incomodar o bebê. Prossiga com o movimento até puxar, com as palmas das mãos, os braços do bebê para trás. Mantenha-os alinhados ao corpo e depois solte-os lentamente. O bebê conseguirá manter essa posição sem ajuda até que os braços caiam para a frente, fazendo-o baixar os ombros.

• *Repita 3-4 vezes.*

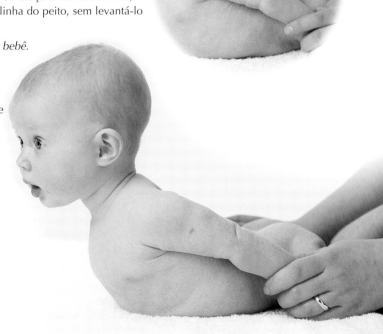

...à cabeça e ao pescoço

A parte superior da cabeça do bebê encaixa-se perfeitamente na palma da sua mão e, como é preciso sempre apoiar sua cabecinha ao carregá-lo, ela é a região mais fácil de massagear. Calmante e extremamente relaxante, a massagem da cabeça e do pescoço pode ser feita praticamente a qualquer hora e em qualquer lugar. Trata-se de uma massagem de considerável eficácia, que acalma instantaneamente e não é nada agressiva. Não é preciso nenhuma preparação: o bebê não precisa estar nu e você não precisa usar óleo.

A cabeça do bebê possui inúmeras articulações fibrosas chamadas suturas, as quais, graças à sua mobilidade, permitem a passagem do bebê pelo canal vaginal no parto normal. A fontanela ou moleira, parte macia que fica no alto da cabecinha do bebê, é uma membrana resistente, mas você pode massageá-la suavemente, acariciando-a com as pontas dos dedos e a palma da mão. O parto às vezes provoca marcas ou lesões na cabeça de alguns bebês – espere até que elas sarem para começar a massageá-la.

Se quiser usar óleo para esta massagem, quando acabar limpe a testa do bebê para evitar que o óleo entre nos olhinhos, borrando-lhe a visão. (Usado regularmente, o óleo de oliva é eficaz no tratamento da crosta láctea.)

Sente-se com o bebê no colo e procure uma posição confortável, na qual possa descansar o braço de vez em quando ao longo da massagem.

1

Comece massageando levemente o alto da cabeça do bebê com movimentos circulares feitos com as pontas dos dedos.

• *Continue por um ou dois minutos.*

2

Em seguida, acaricie em torno do cocuruto do bebê com um movimento circular feito com o peso dos dedos e da palma da mão relaxada.

• *Continue massageando levemente por um ou dois minutos.*

3

Agora, usando o peso de toda a mão (relaxada), acaricie a parte posterior da cabeça do bebê com um movimento circular.

• *Continue por cerca de um minuto.*

4

Amplie o movimento até atingir toda a cabeça do bebê. Acaricie-a desde a parte posterior até a testa e em torno do cocuruto.

• *Continue pelo tempo que desejar.*

5

Agora acaricie o pescoço e os ombros do bebê, massageando suavemente a parte posterior do pescoço com as pontas dos dedos.

• *Continue por um ou dois minutos.*

45

Da cabeça aos pés

*O segredo da terapia craniossacral
está na leveza do toque e no
alinhamento da coluna.*

Aos dois meses, os braços e pernas do bebê começam a estirar-se e, aos três meses, ele consegue alongá-los com mais facilidade. Estimule seu bebê a relaxar e "abrir" o corpo usando uma técnica craniossacral.

Ao contrário da rotina completa dos pés à cabeça, esta técnica parte da cabeça (crânio) para baixo, até chegar aos dedos dos pés – isso porque, aqui, a ênfase está no alinhamento da coluna e no fluxo interno de energia que desce da cabeça para o resto do corpo. Esta técnica promove o livre fluxo da energia através do desbloqueio de restrições ao movimento craniossacral do corpo – o movimento das células humanas. O cérebro

e a coluna são cercados de fluido, o qual se movimenta em ondas. Cada osso, órgão e músculo também tem um padrão de movimento. Todos os bloqueios ao fluxo, geralmente decorrentes de tensão, podem ser desfeitos pelo posicionamento correto da cabeça e da coluna do bêbe.

É preciso escolher o momento certo para aplicar esta técnica. Talvez o mais indicado seja logo após a rotina completa da massagem, quando o bebê está inteiramente relaxado e contente, ou então depois do banho, que é o momento em que ele está menos ativo.

1
....

Deite o bebê de costas, com a cabeça virada para você. Sente-se atrás dele e, com as mãos abertas e relaxadas, deslize as palmas sob a base da cabeça, apoiando-as no chão como se fossem um travesseiro.

2
....

Posicione delicadamente a cabecinha do bebê até deixá-la perfeitamente centralizada, com o queixo apontado para o peito, relaxando e alongando a parte posterior do pescoço. Segure-a dessa maneira por um ou dois minutos até que o bebê fique imóvel.

3
....

Assim que o bebê estiver inteiramente à vontade nessa posição, peça ao seu parceiro ou a um amigo que a ajude a prosseguir. Enquanto você continua segurando delicadamente a cabeça do bebê, a outra pessoa deve sentar-se do lado oposto e segurar os pés dele. Mantendo os pezinhos unidos, essa pessoa deve dobrar os joelhos do bebê até formar um ângulo reto. As plantas dos pés devem estar voltadas para a segunda pessoa, para que as costas do bebê fiquem corretamente alinhadas.

• *Continue por cerca de 20 segundos.*

4
....

Continue segurando a cabeça do bebê. Enquanto isso, seu ajudante deve sacudir levemente as pernas do bebê até estirá-las e, em seguida, acariciá-las suavemente dos quadris aos pés. Fale e cante para o bebê enquanto isso estiver sendo feito.

• *Continue por cerca de 20 segundos.*

Banho de ar

Os bebês precisam passar algum tempo sem roupa para que a pele fique exposta ao ar livre. Conhecido como "banho de ar", isso contribui para a saúde da pele e a resistência a infecções. Massageando seu bebê regularmente, você já estará permitindo que sua pele receba um constante banho de ar. Porém, mesmo quando não o estiver massageando, você pode deixar que ele fique algum tempo nu, não apenas dentro de casa, mas principalmente fora. Com isso, a pele do bebê absorverá, além do oxigênio e todas as suas propriedades curativas e vitais, a luz natural – principais fatores para a produção de vitamina D na pele, a qual contribui para calcificar a proteína dos ossos recém-formados, gerando ossos mais fortes.

Nem tudo estará perdido, mesmo quando o bebê não estiver disposto a ser massageado, se você ainda lhe der a chance de gozar de uma maior liberdade de movimentos, sem as restrições impostas pelas roupas.

Naturalmente, você deve verificar se a temperatura é adequada para que o bebê permaneça nu. Se ele estiver ao ar livre, a temperatura deve ser amena, sem muita brisa. E, se estiver dentro de casa, o local deve ser bem ventilado, mas sem correntes de ar, e com temperatura agradável. Lembre-se também de que o óleo que houver sobre a pele do bebê intensificará os efeitos da luz solar e das correntes de ar. Portanto, cuide de supervisionar o bebê durante todo o tempo.

A partir dos dois meses, a maioria dos bebês adora ficar sem roupa. Os banhos de luz e oxigênio contribuem para prevenir e curar problemas mais simples de pele, como as assaduras.

1

Estimule o bebê a segurar os pezinhos e a chupar os dedos dos pés – observe sua maravilhosa capacidade de movimento.

2

Use um de seus brinquedos favoritos para incentivá-lo a alongar os braços e os ombros.

3

Deixe que o bebê se deite de bruços. Assim ele estará alongando e fortalecendo as costas.

4

Quando ele já estiver acostumado à posição, irá fortalecer-se ainda mais, empurrando os braços e os ombros para trás.

Garantindo a postura do seu bebê

Principais benefícios

- Aquisição de uma postura cômoda e saudável.

- Manutenção da respiração abdominal.

- Auxílio à digestão.

- Facilidade e liberdade de movimentação da coluna para diante em todas as direções.

- Consolidação da postura do bebê, dando-lhe segurança para sentar-se sozinho.

- Modificação da massagem para adaptação à crescente mobilidade do bebê.

Os estágios do desenvolvimento motor são universais e, como o desenvolvimento da inteligência, cada estágio depende de o anterior ter sido atingido. Por exemplo, o bebê deve aprender a sentar-se antes de ficar de pé, andar etc. A idade em que ele aprende a sentar-se, engatinhar, ficar de pé e andar não tem nenhuma relação com seu potencial intelectual. Sendo única, cada criança faz tudo isso no tempo apropriado. Alguns bebês aprendem a sentar-se tarde e caminham cedo, ao passo que outros fazem exatamente o contrário.

A postura correta ao sentar é uma arte e uma grande façanha para todos os bebês. Como em todos os outros estágios do desenvolvimento, você não deve obrigar nem apressar seu bebê a nada. Não existe nenhuma prescrição em termos de tempo em relação ao sentar-se, portanto, observe as dicas dadas pelo próprio bebê – seu objetivo é ajudá-lo a atingir essa parte do seu desenvolvimento, massageando-o para que ele adquira a postura mais saudável e confortável possível.

Continuar a massagear o bebê quando ele já consegue sentar-se sozinho pode tornar-se um verdadeiro desafio. Ele talvez já não queira mais ficar deitado para a massagem, agora que já atingiu esse estágio do desenvolvimento. Você precisará descobrir como lidar com ele para agir mesmo que ele mude de posição, a fim de proporcionar-lhe os benefícios de uma massagem completa.

Ajudando o bebê a sentar-se

Durante as primeiras semanas de vida, o bebê ainda tem pouca força para sustentar a cabeça e o pescoço. Quando se tenta colocá-lo sentado antes que esteja pronto para isso, a cabeça cai para a frente e as costas se curvam. Além de incômoda, essa postura é pouco saudável, pois enfraquece a coluna e pode inibir a respiração e a digestão; portanto, é melhor evitá-la.

Por volta dos dois ou três meses, o bebê já terá começado a adquirir força no pescoço e nos ombros, permitindo que ele comece a treinar uma futura posição sentada saudável. Quando ele for capaz de ficar deitado de bruços com a cabeça levantada e alongando o peito, estará pronto para, com a sua ajuda, entrar na fase preliminar do sentar-se.

Para conseguir sentar-se confortavelmente por qualquer tempo que seja, as articulações

dos quadris do bebê precisam ter flexibilidade o bastante para permitir que ele permaneça sentado sobre a parte posterior das pernas estendidas para a frente. Essa posição proporciona à coluna liberdade de movimento para diante em todas as direções. Além disso, permite que o peito permaneça aberto, possibilitando um ritmo respiratório mais profundo e o relaxamento do abdômen, não interferindo negativamente sobre a digestão.

Depois que aprender a se sentar corretamente, o bebê conseguirá passar várias horas por dia sentado, com as costas eretas e firmes. Nessa posição ele adquirirá muitas outras habilidades.

Coloque o bebê sentado com os pés juntos e os joelhos abertos (essa pose é conhecida como a "posição do alfaiate"). Sente-se por trás dele e coloque a mão esquerda em torno de seu peito, de modo que ele possa debruçar-se apoiado na palma de sua mão, mantendo o próprio peso na parte posterior das pernas.

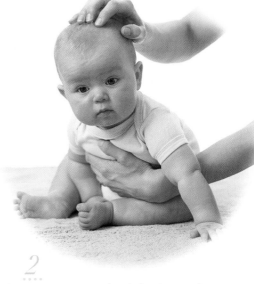

2

Agora, com a ponta dos dedos da mão direita, acaricie suavemente a parte superior da cabeça do bebê para ajudá-lo a relaxar.

• *Continue por cerca de 20 segundos.*

3

Relaxe a mão e, com a palma, massageie delicadamente em torno do alto e dos lados da cabeça.

• *Continue por cerca de 20 segundos.*

4

Acaricie as costas do bebê, desde a parte posterior da cabeça até a base da coluna, com o peso da mão relaxada. Isso o estimulará a transferir o peso para baixo, em direção à parte posterior das coxas, o que promoverá o alongamento das costas, necessário para uma postura saudável.

• *Continue por cerca de 20 segundos.*

Sentando com apoio

Seu bebê ganhará força se passar parte do seu tempo acordado na posição conhecida como "barriga para a frente". Você saberá que o bebê está pronto para sentar-se sozinho e deixar de lado sua ajuda quando ele conseguir deitar-se de bruços e apoiar-se nas mãos e braços. Se tentar sentar-se sem apoio nesse estágio, ele pode cair para trás, para a frente ou para os lados; portanto, é necessário que você o apóie de todos os lados.

Coloque-o na posição preferida dos bebês – pés unidos e joelhos abertos – e deixe-o inclinar-se para a frente, mas antes cerque-o com travesseiros ou almofadas grandes, na frente e de cada lado, encerrando-o num triângulo. Quando você usar as suas mãos, em vez de acolchoados, você poderá massageá-lo para que atinja mais rápido o estágio seguinte da posição sentada – verificando, naturalmente, se ele está bem sentado, isto é, com o peso apoiado na parte de trás das pernas.

Certifique-se de que o seu bebê está completamente cercado por almofadas para que não haja perigo de ele cair.

Jamais deixe o bebê sozinho enquanto ele estiver sentado apoiando-se em travesseiros ou almofadas.

1

Retire os apoios acolchoados e deixe o bebê debruçar-se para a frente, apoiando o tronco nos braços esticados pelo tempo que puder. Você poderá ampará-lo levemente pela cintura para firmá-lo melhor.

2

Agora, coloque as mãos sobre os joelhos e as coxas do bebê para fazê-lo parar de inclinar-se e cair para a frente e para os lados, durante o tempo em que o deixa com os braços livres para apoiar-se.

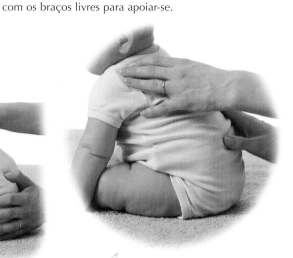

3

Continue praticando e, quando sentir que o bebê já tem segurança nessa posição, dê mais um passo para ajudá-lo a consolidar seu progresso. Equilibre-o com uma das mãos e, com a outra, empurre-lhe os quadris para baixo, a fim de mantê-lo bem firme no chão.

4

Quando o bebê estiver seguro nessa posição, massageie-lhe as costas, acariciando-as de cima para baixo, alternando as mãos, continuando a empurrar a parte posterior dos quadris e a base da coluna para baixo.

Sentando sem apoio

Você saberá que o bebê já pode começar a sentar-se sem apoio quando ele conseguir deitar-se de bruços e apoiar-se sobre as mãos com os braços esticados. A princípio, ele não conseguirá entrar e sair dessa posição sem a sua ajuda, mas, com algumas semanas de prática, adquirirá o equilíbrio necessário para sentar-se por algum tempo sem se apoiar nos braços. Entretanto, mesmo assim ele precisará de alguma supervisão. Isso geralmente acontece por volta dos sete meses de idade.

Quando tiver adquirido segurança e equilíbrio para sentar-se sozinho, o bebê começará a ver o mundo com novos olhos. Ele conseguirá alcançar seus brinquedos preferidos, segurar um copo ou um biscoito e levantar os braços na sua direção quando quiser ser carregado.

Nesse estágio, a massagem pode ajudar o seu bebê a fortalecer e a consolidar a postura e a criar segurança para sentar-se sozinho. Aprenda a trabalhar com seu filho para poder continuar a incorporar a seus próprios movimentos alguns elementos da rotina completa da massagem. Você pode modificar algumas das técnicas depois que o seu bebê já estiver conseguindo sentar-se sozinho, bem como concentrar-se naquelas que mais benefícios lhe trarão nesta fase.

Este momento é muito importante para o bebê; portanto, você não deve apressá-lo para atingir o estágio do engatinhar. A prática faz a perfeição: seu bebê saberá a hora certa para passar adiante.

Ajoelhando-se e colocando o bebê entre suas pernas, você poderá apoiá-lo, se for preciso, enquanto ele aprende a sentar-se sozinho.

1

Quando o bebê se sentar, ajoelhe-se por trás dele e acaricie-lhe as costas, alternando as mãos, bem como os quadris e a parte superior das coxas.

• *Continue por cerca de 20 segundos.*

2

Acaricie-lhe os ombros e puxe-lhe os bracinhos para baixo e para os lados com as palmas das mãos relaxadas. Isso o ajudará a aumentar o equilíbrio na parte superior do corpo. Se quiser, use óleo para fazer esse movimento. Assim, sua mão deslizará facilmente e você não desalinhará a postura do bebê.

• *Continue por cerca de 20 segundos.*

3

Agora, contanto que o bebê não esteja de estômago cheio, aperte-lhe delicadamente a barriguinha e, com a mão relaxada, faça carícias circulares da direita para a esquerda. Ajude-o a manter o abdômen relaxado agora que ele já passa mais tempo sentado.

• *Continue por cerca de 20 segundos.*

57

Sentando à maneira japonesa

Quando já estiver dominando a posição do alfaiate e pronto para ficar de quatro, seu bebê se debruçará, empurrando os pés para trás, e depois se projetará para a frente, apoiando-se nas mãos e nos joelhos. Ele talvez passe algum tempo empurrando-se para diante e depois para trás, caindo numa posição do alfaiate, mas logo conseguirá juntar os joelhos e sentar-se com os pezinhos para trás – uma posição tradicional japonesa. Ela constitui uma boa base para a transição entre o sentar-se e o engatinhar, podendo inclusive tornar-se a favorita do bebê.

É possível que, depois de atingir essa posição e ganhar mobilidade, o bebê não queira ficar imóvel por muito tempo – você terá de escolher muito bem o momento de massageá-lo.

Alguns bebês sentam-se nesta posição com os pés voltados para fora. Se verificar que seu filho está fazendo isso, tente corrigi-lo virando seus pezinhos para dentro delicadamente, pois assim é muito mais saudável para seus joelhos e quadris.

Sentando à maneira japonesa

1

Sentando-se por trás do bebê, massageie-lhe a parte dianteira das coxas, dos joelhos aos quadris, acariciando-os com as mãos untadas, em movimentos de vaivém. Isso relaxará a parte dianteira da coxa.

• *Continue por cerca de 20 segundos.*

2

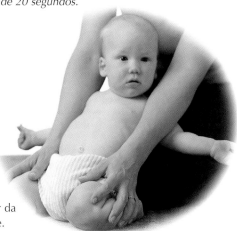

Agora, procure incentivar o bebê a inclinar-se para trás em direção a você até um ângulo de mais ou menos 30 graus. Isso contribuirá para relaxar ainda mais a dianteira da coxa e manterá a parte inferior da coluna alongada e forte.

• *Continue por cerca de 20 segundos.*

3

Deixe que o bebê volte a sentar-se com as costas eretas. Para relaxar seu abdômen, ponha a mão levemente em concha sobre ele e acaricie-o da direita para a esquerda com movimento circular. Isso também pode ajudar a digestão do bebê.

• *Continue por cerca de 20 segundos.*

4

Relaxe as mãos untadas de óleo e coloque-as sobre os ombros do bebê. Puxe delicadamente seus bracinhos para os lados com as palmas das mãos, ajudando-o a equilibrar-se.
• *Continue por cerca de 20 segundos.*

Mobilidade e ginástica leve

Principais benefícios

- Promove o fortalecimento das costas.

- Ajuda o bebê a manter uma boa postura.

- Mantém o funcionamento saudável do peito e do abdômen.

- Promove a flexibilidade da coluna e dos quadris.

- Aumenta a autoconfiança e melhora a imagem corporal do bebê.

- Propicia o equilíbrio e a simetria estrutural.

- Promove o relaxamento muscular, tanto em repouso quanto em movimento.

- Estimula a segurança no relacionamento físico e afetivo do bebê com a pessoa que o ajuda a praticá-la.

Depois que conseguir aprender a sentar-se sozinho, seu bebê irá adotar diversas posições além da primeira que aprendeu. A partir daí, à medida que passa do sentar-se ao engatinhar, ele adquirirá sua segunda posição sentada e prosseguirá até agachar-se, pôr-se de pé e caminhar.

Depois de ter adquirido uma ampla gama de movimentos versáteis, ele começará a fortalecer-se com muita rapidez. E, ao transportar e movimentar o crescente peso de seu corpo, ele se tornará um pequeno "levantador de peso". Quanto maior o peso corporal que ele levantar, mais forte se tornará – e, como todos os levantadores de peso, perderá um pouco da flexibilidade se não continuar a expandir seus movimentos enquanto vai ficando mais forte.

À medida que o bebê começa a engatinhar, a ficar de pé e a caminhar, ele já não quer ficar quieto para receber uma massagem completa. Porém, as seguintes técnicas de ginástica leve permitirão que ele continue a influir positivamente sobre seu desenvolvimento enquanto ele não pára de se mexer. Elas podem ser usadas como jogos ou brincadeiras, ajudando o bebê a manter boa postura e boa forma física geral enquanto cresce. Além disso, permitirão que vocês dois continuem compartilhando momentos de intimidade, com muito amor e carinho.

Como a massagem, estes jogos de ginástica leve não devem ser impostos nem praticados contra a vontade do bebê. Também não é preciso praticar todos os exercícios de uma só vez. É melhor começar realizando um de cada vez até que você adquira a prática e o bebê possa reconhecê-los e desejá-los. Depois disso, será possível praticá-los uma ou duas vezes por semana.

Estimulando a mobilidade

Embora a maioria dos bebês comece a engatinhar algum tempo antes de aprender a ficar de pé e caminhar, alguns ficam de pé e caminham sem aprender a engatinhar direito. Em geral, quando "queimam" a fase do engatinhar é porque não passaram tempo suficiente de bruços e, portanto, hesitam em ficar de quatro. Esses bebês costumam movimentar-se "arrastando o bumbum" – muitas vezes bem – enquanto permanecem sentados.

Já os bebês acostumados a ficar deitados de bruços, quando prontos para começar a engatinhar, passam da posição do alfaiate, sua primeira posição sentada, para as gatinhas projetando-se para diante. A partir daí, as primeiras tentativas de engatinhar geralmente acabam com o bebê dando de ré – só depois de alguma prática é que ele começa a ir para a frente usando as mãos e os braços. Depois disso, ele geralmente começa a engatinhar usando as mãos e os joelhos, embora alguns bebês engatinhem usando as mãos e os pés, como ursos.

Enquanto faz as primeiras tentativas de engatinhar, o bebê aperfeiçoa sua segunda posição sentada e pode começar a ficar de pé quando apoiado. À medida que sua força e segurança aumentarem, ele deixará de arrastar-se para ficar de pé apoiado e começará a praticar levantar as perninhas. Quando conseguir levantar e baixar uma perna de cada vez, ele começará a andar de lado, contornando os móveis, e para a frente, segurando-se em suas mãos. Existem várias maneiras de incentivar seu bebê nesta fase, aumentando sua autoconfiança e ajudando-o a cumprir todo o seu potencial de mobilidade.

Preparação

Quando seu bebê já estiver se sentando sozinho, ajoelhe-se no chão e sente-o em sua coxa. Deixe-o arrastar-se e ficar de pé com uma perna de cada lado da sua coxa. Essa posição promove o alinhamento dos quadris, joelhos e tornozelos, propiciando simetria postural.

• *Continue pelo tempo que você e o bebê quiserem.*

Engatinhando

Para incentivar o bebê a engatinhar, deite-o de quatro sobre a sua coxa e balance-o para a frente e para trás.

• *Continue pelo tempo que você e o bebê quiserem.*

De pé

Coloque o bebê de pé e segure-o pela cintura com alguma firmeza, dando-lhe uma base mais forte e mais equilíbrio com o peso de suas mãos. Você poderá aprofundar um pouco essa prática se baixar um pouco as mãos e o segurar pelas coxas.

• *Continue pelo tempo que você e o bebê quiserem.*

Caminhando

Depois que o bebê já fica de pé, você poderá incentivá-lo a caminhar. Sente-se no chão, de frente para o parceiro – você e ele devem estar perto o bastante para poderem dar-se as mãos. Com o bebê de pé entre vocês, chame-o pelo nome para estimulá-lo a caminhar na sua direção.

• *Continue enquanto vocês estiverem se divertindo.*

O balanço do alfaiate

Quando se sentam no chão, os adultos costumam curvar a coluna e transferir o peso do corpo para a parte inferior das costas. Essa postura é não só incômoda de manter, mesmo por pouco tempo, mas também prejudicial para as costas e a coluna, podendo inibir as funções respiratória e digestiva.

Praticando este exercício, seu bebê ganhará a força e a flexibilidade necessárias para continuar a sentar-se com o peso sobre a parte posterior das coxas. Isso remove a tensão da parte inferior das costas e propicia a manutenção de uma boa postura sentada. Os órgãos internos do bebê também são beneficiados porque, nesta posição, o peito se abre e o abdômen se relaxa, permitindo uma respiração mais profunda e um ritmo digestivo mais saudável.

Além disso, essa posição é muito prática para o bebê em desenvolvimento – ela mantém a flexibilidade e libera a coluna para que ele possa inclinar-se desde as articulações dos quadris, permitindo-lhe debruçar-se para diante em todas as direções, a fim de alcançar seus brinquedos favoritos.

À medida que o bebê passar do sentar-se ao ficar de pé, ele pode perder parte dessa flexibilidade e, com ela, a perfeição da postura sentada. Portanto, é importante continuar a praticar esse movimento, a fim de manter a flexibilidade dos quadris do bebê e permitir-lhe uma postura saudável e elegante ao longo de seu crescimento.

O balanço do alfaiate logo se tornará uma diversão para seu filho – não se admire se ele lhe pedir que faça "aquela brincadeira" quando você por acaso se esquecer dela.

Durante todo este jogo de ginástica leve, seus braços devem estar sempre sob os braços do bebê e por cima de suas pernas.

Esta é a primeira posição sentada do bebê – com os pés unidos e os joelhos abertos, as pernas e os quadris estão em perfeita simetria.

O balanço do alfaiate

1

Ponha o bebê sentado em seu colo na posição do alfaiate. Coloque seus braços sob os dele e por cima de suas perninhas. Junte as plantas dos pés do bebê e aproxime-as do tronco. Bata-as como se estivesse batendo palmas e balance o bebê suavemente, de um lado para o outro.

• *Continue por cerca de 20 segundos.*

2

Agora fique de joelhos e apóie o bebê segurando-o pelos tornozelos. Ele deve ficar bem seguro entre seus antebraços.

3

Balance o bebê suavemente de um lado para o outro. Repita umas cinco ou seis vezes – quando o bebê descobrir o ritmo, ele irá relaxar e apreciar a brincadeira. Continue a oscilar e agora deixe o bebê inclinar-se para a frente, projetando o peito em direção aos pés. Mantenha os braços sempre por baixo dos braços do bebê durante todo este exercício.

• *Continue por mais 4-5 oscilações.*

Pernas fortes e flexíveis

Como são a base do corpo, as pernas devem ser fortes o bastante para sustentá-lo e permitir a locomoção, além de ágeis e flexíveis o suficiente para garantir uma ampla gama de movimentos, desde o sentar-se e o ficar de pé até o saltar e o correr. Quando seu bebê começar a experimentar os movimentos e a "descobrir" o equilíbrio, ele se tornará mais seguro e um pouco mais independente.

À medida que as pernas do bebê se fortalecerem, ele deixará de andar com as pernas e os pés abertos como um pequeno *cowboy*, pois os músculos da parte interna da coxa se contrairão, alinhando-se aos quadris. Ao mesmo tempo, outros músculos posturais – como os das panturrilhas, da parte dianteira das coxas e dos glúteos – estarão se fortalecendo para tornar as pernas mais estáveis. Se isso acontecer sem que eles também se alonguem, o bebê perderá parte da sua gama de movimentos. Ele deixará, por exemplo, de poder colocar os pés no rosto ou movimentar-se livremente quando estiver sentado na posição do alfaiate.

Seu bebê investiu muito tempo e esforço para adquirir uma ampla gama de movimentos; portanto, será ótimo se você o ajudar a mantê-la enquanto ele se fortalece. Praticando esses jogos de ginástica leve uma ou duas vezes por semana, ele manterá a flexibilidade das articulações e poderá continuar gozando de uma ampla gama de movimentos e de uma boa postura.

Você pode ajudar o bebê a manter a flexibilidade dos quadris se o colocar sentado em seu colo de modo que as perninhas fiquem estiradas ao redor da sua cintura.

1

Coloque o bebê sentado sobre suas coxas e incline-se levemente para trás enquanto puxa seus pezinhos até o rosto. Balance-o de um lado para o outro e cante para ele.

• *Continue por cerca de 30 segundos.*

2

Segure uma das pernas do bebê pela parte posterior da coxa e do joelho, deixando a outra esticada. Friccione e massageie a parte posterior da coxa dele enquanto continua a balançar-se e a cantar.

• *Continue por 30 segundos. Repita com a outra perna do bebê.*

3

Ponha o bebê sentado entre seus joelhos com as pernas e pés abertos. Em seguida, dobre e depois estire uma das perninhas. Repita com a outra.

• *Repita este movimento ritmicamente, alternando entre as duas pernas, por cerca de 30 segundos.*

4

Mantendo as costas do bebê eretas, apoiadas no seu tronco, faça-o abrir novamente ambas as pernas. Balance-o enquanto massageia delicadamente a parte interior das coxas.

• *Continue por 20-30 segundos.*

5

Junte lentamente as duas pernas do bebê e, mantendo-as estiradas, alongue seus calcanhares. Pegue os dois pezinhos e vire-os para fora.

• *Mantenha o alongamento por alguns segundos.*

Peito e ombros abertos

Ao contrário dos adultos, que geralmente restringem a respiração ao peito e a expressão das emoções ao rosto e às mãos, a criança se exprime com o corpo todo – pulando para cima e para baixo e abrindo os braços quando sente prazer ou cerrando os punhos e batendo os pés quando sente raiva. Os bebês são criaturas ativas; suas reações são espontâneas e seu ritmo respiratório é livre e fácil.

As crianças pequenas compreendem intuitivamente a relação entre o sentimento, a respiração e o movimento. Além de expressar suas emoções sem inibir os movimentos, quando reprimem os sentimentos – para esconder o medo ou a ansiedade, por exemplo – elas ficam imóveis, muito quietas e prendem o fôlego.

Observe como o seu bebê fica sentado e de pé. As costas eretas, o peito aberto e os ombros relaxados revelam uma atitude positiva diante da vida e um estado de espírito em que não há lugar para a negatividade. Veja como ele respira: cada inspiração vai fundo até a barriga – o abdômen e o peito trabalham em harmonia, expandindo-se e contraindo-se ao mesmo tempo.

A posição das costas, peito e ombros do bebê demonstra o equilíbrio estrutural da postura, onde o peso é transportado com facilidade e transferido de osso a osso sem tensão indevida sobre os músculos. Isso permite que os músculos funcionem de maneira saudável, com alto grau de relaxamento mesmo quando o corpo está em movimento. Desde muito cedo, os bebês gostam de arquear as costas – e esse movimento intuitivo contribui imensamente para o caráter saudável de sua postura e de seu ritmo respiratório.

Este exercício estimula o relaxamento completo na parte da frente do corpo do bebê e fortalece as costas e a coluna.

1

Sente-se confortavelmente no chão, apoiada numa parede ou na beira de uma almofada, com as pernas estendidas. Em seguida, ponha o bebê sentado de lado em seu colo.

2

Agora faça o bebê deitar de costas sobre suas coxas, de modo que os pés permaneçam no chão e a cabeça e as costas fiquem arqueadas. Para facilitar esse movimento, balance o bebê suavemente e "role" suas próprias pernas de um lado para o outro, bem devagar, enquanto canta para ele.

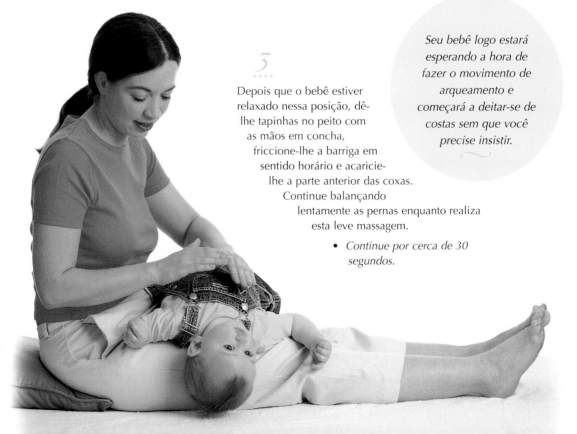

3

Depois que o bebê estiver relaxado nessa posição, dê-lhe tapinhas no peito com as mãos em concha, friccione-lhe a barriga em sentido horário e acaricie-lhe a parte anterior das coxas. Continue balançando lentamente as pernas enquanto realiza esta leve massagem.

• Continue por cerca de 30 segundos.

Seu bebê logo estará esperando a hora de fazer o movimento de arqueamento e começará a deitar-se de costas sem que você precise insistir.

Flexibilidade e força nas costas

As crianças costumam gostar de brincadeiras e atividades físicas que exigem uma ampla gama de movimentos. A flexibilidade da coluna e a força dos músculos que a sustentam são, portanto, de grande importância.

Quando já conseguir ficar de pé, o bebê precisa firmar o equilíbrio, pois estará continuamente testando os limites dos movimentos e do potencial de seu corpo.

Isso sem dúvida provocará uma ou outra queda, mas, como as crianças são mais relaxadas que os adultos (tanto em repouso quanto em movimento), o choque do impacto geralmente passa depressa.

Você pode começar a praticar a brincadeira descrita a seguir quando seu bebê já ficar de pé – e continuar a praticá-la enquanto conseguir carregá-lo e enquanto ambos a acharem divertida. Se praticada uma ou duas vezes por semana, ela contribuirá para manter e melhorar a flexibilidade da coluna e da parte dianteira do corpo do seu filho, assim como a força nas costas. Além disso, ela é muito benéfica para a postura, propiciando todos os benefícios fisiológicos da boa saúde e a autoconfiança que acompanha a boa forma e a boa postura.

Esta brincadeira também requer confiança: você vai virar o mundo de seu bebê de cabeça para baixo, para depois ajudá-lo a recuperar seu eixo.

1

Ajoelhe-se e sente-se sobre os pés, apoiada numa almofada. Ponha o bebê sentado no seu colo, virado de frente para você.

2

Agora, firmando com seus braços as pernas do bebê nas laterais do seu corpo, ponha ambas as mãos nas costas dele – uma na base do pescoço e a outra na parte inferior da coluna, apoiando os quadris. Deixe o bebê curvar-se para trás e abra-lhe delicadamente o peito e os ombros empurrando-lhe a parte superior das costas. Converse, cante e embale lentamente o bebê, mantendo sua total participação na brincadeira.

• *Continue por cerca de 20 segundos.*

3

Agora, coloque o bebê deitado de costas sobre seus joelhos e ponha as mãos sobre os ombros dele. Suas mãos devem estar pousadas sobre a parte interior dos braços do bebê. Balance as suas coxas de um lado para o outro bem devagar, fazendo o bebê relaxar.

• *Continue por cerca de 20 segundos.*

4

Erga-se até ficar de joelhos, tendo antes o cuidado de verificar que não há nada que impeça que as pernas do bebê dêem uma volta completa. Apóie-o pondo as mãos sobre os ombros dele e deixe que ele gire para trás por dentro de seus braços.

5

Quando o bebê estiver de pé, ponha as mãos sobre seus quadris e faça um pouco de força para baixo, usando apenas o peso das mãos, para ajudá-lo a equilibrar-se novamente.

Doenças e necessidades especiais

Principais benefícios

- Alivia os problemas mais freqüentes na infância.

- Pode acalmar crianças normalmente excitáveis.

- Auxilia no combate a vários tipos de congestão.

- Permite que os pais minimizem problemas físicos.

Muitos dos males e doenças da infância deixam a pele do bebê hipersensível e "coçando". Se não estiver se sentindo bem, o bebê rejeitará a massagem normal. Muitas vezes, o que ele mais quer e precisa enquanto o remédio prescrito não faz efeito é dormir e ficar no colo. Nessas ocasiões, experimente apertar-lhe suavemente as mãos e os pés ou acariciar-lhe levemente a cabeça quando estiver sentada ou deitada ao lado de seu bebê. Essas técnicas, além de não serem incomodativas, podem acalmar e relaxar muito o bebê.

A mesma abordagem poderá ser usada se o bebê estiver agitado, irritadiço, com dificuldade de relaxar ao ser carregado ou chorar com facilidade.

No capítulo seguinte serão apresentadas algumas técnicas destinadas a problemas mais específicos. Apesar disso, nenhuma delas deve ser usada em substituição ao diagnóstico e às recomendações de um profissional.

Os bebês com necessidades especiais também se beneficiam com a massagem – você poderá modificar algumas técnicas ou intensificar determinados aspectos da massagem para atender a necessidades específicas.

Se o seu bebê revelar sintomas de doença, como febre alta, apatia, irritabilidade e secreção nos olhos ou no nariz, peça sempre a opinião de um profissional – a presteza no diagnóstico pode acelerar a sua recuperação.

Tosses, resfriados e congestão

O bebê só respira pela boca quando o nariz está obstruído. Durante o dia, isso pode não causar muitos problemas, mas à noite pode ser extremamente incômodo. Quando o bebê dorme, seu ritmo respiratório se torna mais lento e profundo e, se o nariz estiver entupido, ele terá dificuldade para respirar e conciliar o sono. Isso é muito prejudicial, principalmente se seu bebê já tiver horários certos para dormir.

Se o seu bebê tiver congestão nasal, coloque-o numa posição levemente inclinada para dormir. Você poderá fazê-lo levantando o colchão do berço e colocando sob ele um livro ou lista telefônica. Não o deixe dormir com a cabeça num travesseiro e evite dar-lhe alimentos que provocam muco, como os laticínios.

Estas técnicas lhe mostrarão como aliviar a congestão do nariz e do peito, mas não se destinam a substituir o diagnóstico nem o tratamento profissional – em vez disso, elas representam um elemento auxiliar na recuperação do seu bebê.

Narinas

1

Sente-se no chão com as costas apoiadas na parede e os joelhos levantados. Coloque o bebê sobre eles, de frente para você.

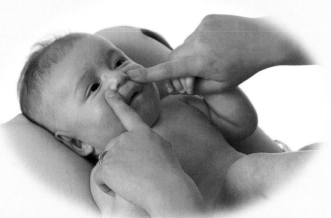

2

Pressione levemente as pontas dos indicadores do lado de cada narina do bebê e abra-as comprimindo delicadamente as laterais das bochechas para baixo e para os lados. Antes de aplicar esta técnica com o bebê, experimente fazê-lo em si mesma.

• *Repita 4-5 vezes.*

Peito

1

Ajoelhe-se sobre uma almofada e coloque o bebê no colo, virado de frente para você. Abra-lhe as pernas, pondo uma de cada lado de seu corpo, e deixe-o cair para trás apoiado em suas coxas.

Certos óleos essenciais, como o de eucalipto e o de lavanda, são recomendados para a desobstrução dos seios nasais (cavidades sinusóides). Misture 2-3 gotas ao óleo básico.

2

Usando o peso das mãos relaxadas e ligeiramente fechadas em concha, dê tapinhas no meio e depois nos lados do peito do bebê.

• *Continue por cerca de 30 segundos.*

3

Agora ponha o bebê deitado de bruços sobre suas coxas e, com o peso das mãos relaxadas e ligeiramente fechadas em concha, dê-lhe tapinhas nas costas e nas laterais do corpo. Se o bebê estiver muito congestionado, poderá vomitar um pouco depois deste movimento de percussão, quando os brônquios se comprimirem para expelir o muco.

• *Continue por cerca de 30 segundos.*

Secreção nos olhos

Não é raro que os bebês apresentem secreção nos olhos no primeiro ou segundo dia de vida – isso normalmente se deve à entrada de líquido amniótico e de outros fluidos nos olhos durante o parto. Nesse caso, você pode usar um cotonete e um pouco de água fervida (morna) para limpar, de dentro para fora, os cantos internos dos olhos do bebê. Decorridas as primeiras 48 horas, porém, olhos pegajosos são indício de infecção e exigem um exame. Se os sintomas persistirem ou se os olhos do bebê estiverem vermelhos, você deve consultar o pediatra.

Olhos dos quais mina constantemente água ou secreção podem ser o resultado de algum bloqueio dos canais lacrimais. Estes são revestidos de membrana mucosa, uma extensão do muco que reveste as narinas. Quando essa membrana se inflama ou incha, os canais lacrimais ficam bloqueados, fazendo a água das lágrimas correr pelos olhos, em vez de drená-la para dentro do nariz, como normalmente ocorre. Para remover o bloqueio, experimente a seguinte técnica.

Não use óleo para aplicar esta técnica, já que ele poderia entrar no olho do bebê. Limpe bem as mãos e tome cuidado para não deixar a unha arranhar a pele de seu bebê.

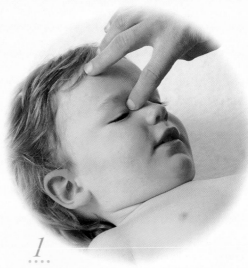

1

As glândulas e canais lacrimais estão situados na depressão do osso nasal, no canto de cada olho, abaixo da lateral da ponte do nariz. Coloque o indicador ao lado do canto interno do olho do bebê e pressione suavemente a lateral do nariz. Talvez seja preciso segurar a cabecinha do bebê com a outra mão enquanto faz isso.

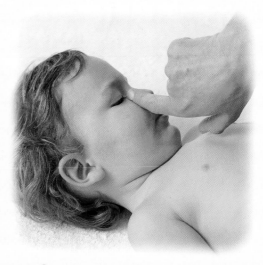

2

Faça o mesmo um pouco abaixo, entre a narina do bebê e a maçã do rosto.

• *Repita 3-4 vezes.*

Ouvido com cola

Se seu bebê apresentar alguma secreção na orelha que não a cera ou tiver algum tipo de dor de ouvido, consulte imediatamente o pediatra. Esse tipo de secreção deve ser examinado de imediato porque pode ser devido a uma infecção do ouvido médio, fazendo com que surja pus no tímpano.

Existe um mal, conhecido como "ouvido com cola", que consiste na descarga de uma substância pegajosa como a cola no ouvido médio. Essa substância impede a mobilidade normal do tímpano e pode causar surdez parcial. Esse problema geralmente decorre de pequenos canais – as trompas de Eustáquio – que vão desde a parte posterior da garganta ao ouvido médio. A função desses canais é equalizar a pressão nos tímpanos – você pode percebê-la quando engole a saliva e os ouvidos se "destapam".

O problema de ouvido com cola muitas vezes se resolve com tratamento prescrito por um osteopata do crânio. Porém, por prevenção, aplique a seguinte seqüência quando massagear a cabeça e o pescoço do seu bebê. Se quiser tornar os movimentos mais suaves, use um pouco de óleo.

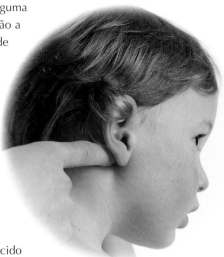

1

Com o bebê de costas para você, coloque os indicadores dos lados da cabeça, por trás dos lóbulos das orelhas.

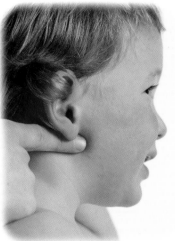

2

Pressione suavemente os indicadores contra as laterais superiores das mandíbulas do bebê, por trás das orelhas, e prossiga com o movimento para baixo, em torno da borda da mandíbula, em direção à garganta.

- *Repita 3-4 vezes.*

3

Agora volte a pressionar os indicadores por trás dos lóbulos das orelhas do bebê. Vá movimentando os dedos delicadamente para baixo, em direção a você, em torno das laterais e da base do crânio.

- *Repita 3-4 vezes.*

Gases, cólica e constipação

Todos nós ingerimos ar enquanto comemos e bebemos. Porém, devido à imaturidade do sistema digestivo do bebê, o ar retido no estômago ou nos intestinos pode formar um incômodo bolsão de gás. O posicionamento adequado do bebê durante e após a amamentação contribui não apenas para prevenir a formação de gases, mas também para liberá-los. Procure manter o bebê com as costas em posição ereta durante a amamentação e, quando ele acabar, dê-lhe tapinhas entre as escápulas e acaricie-lhe as costas de baixo para cima, enquanto o inclina ligeiramente para a frente. Ele poderá vomitar um pouco do alimento – os bebês costumam comer mais do que o necessário, de modo a encher o estômago, aumentando o intervalo entre as mamadas.

Se o seu bebê sofrer de cólicas noturnas e você o estiver amamentando com o seu próprio leite, procure comer alimentos integrais e nutritivos, com regularidade e calma para mastigar. Às vezes, as cólicas noturnas se devem ao fato de você estar comendo pouco, depressa ou irregularmente demais. Também não é raro que os bebês que mamam do peito fiquem por vezes sem defecar durante alguns dias. Você poderá usar a massagem para induzir a evacuação, mas procure o pediatra ou outro profissional competente se estiver preocupada.

Sempre é melhor evitar massagear a barriga do bebê quando ele se mostrar indisposto – em vez disso, procure usar a técnica do tigre na árvore (página 84). A técnica apresentada a seguir pode ser usada nos intervalos em que o bebê estiver melhor. Certifique-se de que ele não esteja nem faminto nem com o estômago cheio demais. Uma boa oportunidade para empregá-la é na hora de trocar as fraldas.

É importante proporcionar ao bebê a oportunidade de ficar de bruços por um bom tempo enquanto estiver acordado – assim, você estará contribuindo para evitar refluxo, cólica e constipação, pois essa posição alonga e relaxa o abdômen. Mas não o ponha de bruços imediatamente depois da amamentação; deixe que ele faça a digestão primeiro.

Se a barriga do bebê estiver muito rígida, faça-lhe cócegas primeiro e depois simplesmente deixe a mão atravessada sobre ela por alguns instantes antes de começar a massagem.

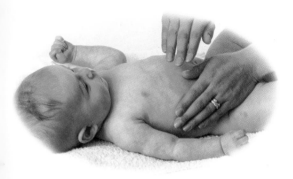

1
....

Deite o bebê no chão e, com o peso da mão inteira, massageie o lado direito do abdômen, alternando as mãos, de cima para baixo. Comece entre o quadril e a costela inferior e prossiga até abaixo do umbigo.

• *Continue por 2-3 minutos e então repita com o lado esquerdo do abdômen do bebê.*

2
....

Ponha a mão em concha transversalmente sobre a barriga do bebê. Comprima-a suavemente e aperte-a de um lado a outro. Não empurre a mão para baixo, pois o bebê resistirá e contrairá a barriga. Procure dar um tom de brincadeira ao movimento para que a barriga dele relaxe.

• *Continue por cerca de 20 segundos.*

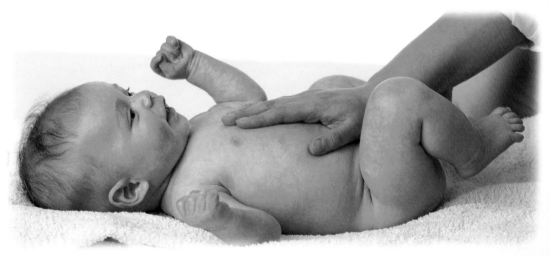

3
....

Agora, com o peso da mão em concha, massageie a barriga do bebê com movimento circular no sentido horário, da esquerda para a direita.

• *Repita 4-5 vezes.*

Se seu bebê tiver gases, cólica ou constipação, consulte o pediatra. Certifique-se de que ele não é alérgico a algum dos alimentos da dieta – ou, se você o estiver amamentando com seu leite, da sua própria dieta. Se ele já estiver comendo sólidos, dê-lhe purê de papaia, que contém enzimas que ajudam a digestão.

Dentição e irritabilidade

A dentição começa muito antes de os dentes nascerem, o que pode acontecer entre os três e os 12 meses. O primeiro dente em geral é um incisivo central inferior e, depois dele, nascem outros incisivos – três superiores e três inferiores, permitindo que o bebê possa morder. Ao todo, são vinte os dentes de leite contra os 32 permanentes, que começarão a nascer quando a criança estiver com cerca de seis anos de idade.

A limpeza dos dentes deve começar quando nascer o primeiro dente e estender-se às gengivas. Ela deve ser feita duas vezes por dia. Entre os cuidados com os dentes do bebê inclui-se evitar alimentos e bebidas que contenham açúcar. Os dentes de leite logo se estragarão se você passar a chupeta em xaropes açucarados ou der ao bebê mamadeiras ricas em açúcar.

Quando os dentes começam a nascer, os bebês muitas vezes se mostram irritadiços – as bochechas podem ficar afogueadas e as gengivas, inchadas. Às vezes eles choram alto e repentinamente, aparentemente sem nenhum motivo, e em seguida param de chorar tão depressa como começaram.

Muitos bebês passam sem problemas por essa fase. Porém, se esse não for o caso do seu bebê, experimente dar-lhe algo homeopático – glóbulos, por exemplo – para aliviá-lo. Se o seu bebê parecer aflito demais, procure massagear-lhe as mãos e as costas – esses movimentos não o incomodarão e poderão aliviá-lo e acalmá-lo quando estiver mais inquieto e incomodado.

Alguns bebês salivam e empurram as mãos na boca quando os dentes começam a nascer.

Muitos dos vários sintomas atribuídos ao nascimento dos primeiros dentes também podem ser decorrentes de problemas mais graves. Se o seu bebê demonstrar que não está muito bem, consulte um profissional.

Você poderá usar uma substância natural, como a camomila (roman), para acalmar o bebê durante o processo de dentição. Dilua algumas gotas em leite e coloque-as no banho do bebê.

1

Sentada com o bebê no colo, aperte e acaricie suas mãozinhas delicadamente entre o polegar e os dedos.

2

Faça uma massagem nos pés do bebê, acariciando e apertando delicadamente o peito e a planta de cada pezinho.

3

Agora, aperte o bebê contra o peito e acaricie-lhe lentamente as costas, em movimentos ascendentes e descendentes ao longo da coluna. Fale com ele em tom de voz baixo enquanto o massageia.

Insônia

O recém-nascido dorme por períodos regulares ao longo do dia e da noite; portanto não há como evitar que ele a acorde. Se despertar, tendo sido trocado e alimentado, ele deve voltar a dormir após um pouco de carinho. Os bebês precisam de contato físico – como o corpo da mãe é o seu primeiro lar, geralmente basta tomá-lo nos braços por algum tempo.

Se o seu bebê estiver tendo problemas de sono, não é aconselhável que você fique andando por horas a fio no meio da noite para tentar acalmá-lo. A técnica do tigre na árvore poderá ajudá-la (ver página 84), mas, se não surtir efeito, consulte o pediatra ou outro profissional competente.

Existem várias razões para o bebê resistir ao sono. Se não precisar ser alimentado nem trocado e parar de chorar enquanto estiver em seus braços, mas voltar a chorar quando você o puser no berço, a mensagem é clara: ele quer ficar perto de você. Nesse caso, uma massagem suave pode ser muito útil para a obtenção de um bom resultado.

As técnicas abaixo permitirão que você se retire gradualmente, depois de oferecer ao seu bebê um toque carinhoso, que o reconfortará pela sua presença, induzindo a tranqüilidade e o sono. Se ele se levantar chorando, volte a deitá-lo e continue. Boa parte do sucesso dessa técnica depende de você se posicionar confortavelmente, perseverar e ser constante. Depois que o bebê aceitar isso, você verá que a técnica induz o sono e que o bebê começará a se acostumar a ela.

As mesmas técnicas podem ser usadas quando você achar que chegou a hora de criar uma rotina e pôr o bebê para dormir num horário preestabelecido. Você poderá começar a retirar-se cada vez mais, diminuindo a intensidade da massagem e mantendo apenas as mãos em contato com o bebê até que ele durma. Depois que ele já estiver acostumado, você poderá reduzir ainda mais esse tempo e retirar as mãos quando ele começar a dormir – mas permaneça dentro de seu campo de visão para que ele não se assuste. O último passo é deitá-lo, acariciá-lo, dizer-lhe que está na hora de dormir e lentamente retirar-se.

Com esta técnica e um pouco de paciência, você ajudará seu bebê a cair no sono.

1

Deite o bebê de lado e acaricie-lhe a parte superior das costas com o peso da mão relaxada.

2

Agora acaricie as costas em toda a sua extensão, da mesma forma que acariciaria um cãozinho ou gatinho.

A mesma técnica pode ser usada se o bebê dormir de costas – acaricie-lhe a cabeça, o peito e a barriga na ordem sugerida.

3

Acaricie a cabeça do bebê, que se encaixa perfeitamente na palma da sua mão e entre os seus dedos.

4

Acaricie o cocuruto do bebê com as pontas dos dedos e retire-se lentamente.

• *Insista e, se o bebê ainda chorar depois de algum tempo, repita toda a seqüência.*

O tigre na árvore

O bebê provavelmente cairá no sono em seus braços depois que esta técnica tiver diminuído seu desconforto.

O tigre na árvore é uma maravilhosa posição, na qual você pode carregar e massagear o bebê para relaxar-lhe o abdômen, aliviando cólicas, gases, constipação, excitabilidade, ansiedade e outros males relacionados com a tensão abdominal aguda.

Essa técnica não apenas cura, mas também previne – ela pode ser usada nos momentos críticos, trazendo alívio ao bebê quando ele mais precisa, e também diariamente, contribuindo para desenvolver cumulativamente uma sensação de bem-estar que melhorará drasticamente a disposição do bebê como um todo.

Como o abdômen é um "centro emocional", a profunda sensação de alívio e relaxamento experimentada pelo bebê não se localizará apenas no abdômen: ela permeará todo o corpo.

Apoiando o bebê em ambos os braços, você conseguirá carregá-lo por muito tempo, permitindo-lhe gozar ao máximo os efeitos da massagem. Trata-se de uma técnica especialmente útil para os pais, pois o bebê fica de costas para o peito e não se sentirá ainda mais incomodado tentando mamar. Além disso, ela permite ao pai acalmar o bebê quando ele estiver aflito e a mãe não estiver presente ou não quiser interferir.

Lembre-se de que a maneira como você carrega e toca o bebê é importante e influi no sucesso da massagem. É essencial que, mesmo que o bebê se mostre aflito, você esteja relaxado, mantendo o relaxamento nos ombros e nas mãos e respirando profunda e ritmicamente. Sentindo que você está calmo, o bebê também ficará mais relaxado.

Esta técnica pode ser usada com o bebê vestido ou não. Os efeitos são imediatos, e ela pode ser aplicada a qualquer hora e em qualquer lugar. Quanto maior a freqüência, maiores os benefícios.

Embora altamente eficaz, esta técnica destina-se a complementar, e não a substituir, o diagnóstico e o tratamento profissionais.

O tigre na árvore

Ponha o bebê de costas para você e coloque seu braço esquerdo sobre o peito dele. O braço esquerdo do bebê deve ficar por baixo do seu, de forma a permitir que ele apóie a cabeça e o pescoço na dobra interna do seu cotovelo.

Coloque sua mão direita entre os joelhos do bebê, pondo a palma aberta sobre a barriga dele. Distribua o peso igualmente entre seus dois braços.

Ponha o pé do bebê sobre a parte interna do seu braço e deite-o sobre a sua mão direita. Enquanto ele fica de bruços sobre ela, aperte suavemente ambos os lados da barriga. O peso do corpo deitado sobre a mão aumenta a eficácia da massagem, já que você conseguirá maior contato sem pressionar. Massageie o abdômen do bebê por alguns minutos. Se ele continuar indisposto, caminhe um pouco, mantendo-o nessa posição, e dê-lhe tapinhas no peito.

- Repita a massagem diariamente e a intervalos freqüentes.

Com a mão aberta contra o abdômen do bebê, seu polegar fica sobre o cólon ascendente e seus dedos, sobre o cólon descendente, entre os quadris e as costelas inferiores.

Bebês nascidos de cesariana

Os bebês que nascem de operação cesariana não são expostos às contrações que acompanham o parto normal, as quais estimulam o sistema nervoso periférico e os principais órgãos do corpo. Por conseguinte, são eles os que mais se beneficiam das massagens regulares. Além dos benefícios convencionais, os períodos dedicados a massagear regularmente o seu bebê lhe darão a oportunidade de estreitar os vínculos emocionais entre vocês. Isso pode ser difícil de conseguir logo após o parto, devido à atenção médica exigida logo depois de qualquer cirurgia delicada. E, além de o bebê precisar de tempo para recuperar-se, a intimidade física pode ser dificultada pela sua incapacidade de levantar e carregar o bebê enquanto seu próprio corpo também se recupera da intervenção.

Depois da cesariana, você pode empregar parte do seu período de convalescença para deitar-se ao lado de seu bebê e iniciar a rotina de massagem para o recém-nascido (ver páginas 16-25). Quando ele estiver pronto para passar a uma rotina mais formal, você já deve estar em condições de levantá-lo e carregá-lo. Não é recomendável fazer movimentos que sobrecarreguem a parte inferior do abdômen até que a incisão esteja completamente cicatrizada. Quando você achar que já pode levantar e carregar o bebê, mantenha os braços o mais perto que puder do corpo. Jamais tente levantá-lo esticando os braços, pois isso representará uma enorme sobrecarga para o abdômen e a parte inferior de suas costas. Como os bebês nascidos de cesariana são mais propensos à letargia, a massagem lhes dá a estimulação necessária, bem como a oportunidade de você verificar e propiciar sua saúde estrutural, permitindo-lhe um período único de expressão emocional.

Use este período para estreitar os laços com o seu bebê e relaxar enquanto ambos se recuperam.

Bebês prematuros

Estudos demonstram que, se massageados regularmente por dez dias, os bebês prematuros absorvem a alimentação com maior facilidade e ganham peso mais rápido que os que não são massageados. Por conseguinte, esses bebês têm maior probabilidade de receber alta antes.

Hoje em dia, graças à alta qualidade e à sofisticação dos cuidados neonatais, a maioria dos prematuros – inclusive os de peso inferior a 1kg – sobrevive. Alguns desses bebês são alimentados por via intravenosa, permanecendo numa incubadora esterilizada enquanto o ritmo cardíaco, a temperatura do corpo e a pressão sangüínea são monitorados constantemente. Por causa disso, tocar e acariciar o bebê prematuro pode ser difícil, mas ainda assim você pode estabelecer contato físico com ele, começando pelas mãos e pés.

Os bebês muito prematuros são às vezes hipersensíveis ao toque, mas, passado algum tempo, eles podem beneficiar-se muito com o contato materno. O bebê que passa muito tempo na incubadora pode associar o toque a procedimentos médicos e chorar quando tocado. Os especialistas mais empáticos aconselham as mães a tocar os filhos e, sempre que possível, carregá-los nos braços para estabelecer com eles o máximo contato de pele. O toque e as carícias ajudam o recém-nascido a desenvolver-se. Contudo, não se pode esperar uma reação instantânea. Seja paciente – observe seu bebê e esteja atenta às suas reações.

A princípio, você pode experimentar colocar apenas uma ou as duas mãos relaxadas sobre a pele dele. A experiência será muito mais gratificante se você primeiro conquistar-lhe a confiança e só continuar quando ele mostrar reações positivas.

Problemas de visão

Para despertar os sentidos da audição e do olfato, fale baixinho e mantenha o rosto próximo ao do bebê enquanto o massageia.

A massagem regular representa um grande benefício para as crianças que sofrem de problemas de visão. Sua necessidade de estimulação tátil talvez seja ainda maior que a da maioria dos bebês. Para elas, o tato pode representar um meio de comunicação que lhes permite receber informação sensorial sobre o mundo que as cerca e se relacionar com ele.

Quando existem obstáculos ao uso normal de um dos sentidos, geralmente se verifica uma compensação: outro sentido será mais desenvolvido. Isso é especialmente verdadeiro em relação ao tato. As crianças que sofrem de problemas de visão dependem do tato para dar forma e reconhecer os objetos do mundo exterior. Se aplicada regularmente, a massagem pode aproximá-la mais do seu filho. Isso lhe permitirá orientá-lo com maior facilidade em relação aos objetos que ele usará no seu dia-a-dia. Além disso, o ajudará a superar possíveis resistências a ser tocado e a tornar-se socialmente mais acessível.

É importante que você inicie a massagem lentamente. Comece acariciando suavemente o seu bebê – converse com ele e preste atenção a suas reações. Uma das mães que conheço costumava fechar os olhos ao massagear o filho. Ela falava com ele, cantava e estabelecia um contato físico muito rico, acariciando-o, beijando-o e mantendo o rosto sempre bem perto dele.

Problemas de audição

A massagem pode beneficiar os bebês com problemas de audição. Aplicada com regularidade, ela pode incentivar o desenvolvimento do seu filho, o qual poderia ver-se adiado graças ao problema auditivo. Além disso, a massagem pode ajudá-la a compreender a maneira como ele se comunica, fortalecendo o relacionamento emocional de vocês e aumentando a auto-estima da criança.

O bebê que sofre de algum problema auditivo precisa que conversem com ele e lhe dêem muitas dicas visuais, bem como muitas expressões físicas de afeto. Fale com seu bebê e pronuncie as palavras com clareza, para que ele possa concentrar-se em inteiramente você.

Fale com seu bebê enquanto o massageia. Fique perto dele e use muitas expressões faciais para demonstrar sua aprovação e seu afeto.

Inicie a massagem aos poucos – assim, possíveis resistências serão mais facilmente vencidas. Acaricie seu bebê e mantenha contato visual enquanto lhe explica o que está fazendo em cada momento. Procure tornar a massagem agradável e preste muita atenção à reação dele.

Alguns bebês que sofrem de problemas visuais ou auditivos demoram para engatinhar e andar. Isso talvez se deva ao fato de eles serem mais resistentes a ficar deitados de bruços, pois assim se sentem excluídos do que se passa ao seu redor. Quando massagear as costas do seu bebê, experimente apoiá-lo da cintura para cima numa pequena almofada.

Talipe

O talipe é uma deformidade congênita em um ou nos dois pés do bebê, alterando sua forma ou posição normal. Um dos talipes mais comuns é o que faz o pé do bebê virar para dentro, em geral resultante da posição em que ele ficava no útero. O talipe pode ser leve ou grave e, quando não corrigível pela fisioterapia, pode-se recorrer a uma pequena cirurgia. Para que o pé do bebê possa endireitar-se, o calcanhar precisa ser alongado. Para tanto, é preciso que a panturrilha se relaxe e alongue para permitir o movimento. Abaixo, algumas técnicas de massagem que podem ser utilizadas nesse caso, mas consulte um fisioterapeuta antes de começar e mostre-lhe o que pretende fazer.

1

Ajoelhada confortavelmente numa almofada e sentada sobre os pés, puxe a perna e o pé do bebê com suas palmas, alternando as mãos. Com o polegar voltado para baixo, ponha a mão sobre a panturrilha do bebê. Deslize-a até o pé e gire-o para fora para alongar o calcanhar o máximo possível, sem fazer força.

2

Segure o pezinho nessa posição enquanto massageia a panturrilha com a outra mão.

• *Continue por alguns minutos ou pelo tempo que o bebê permitir. Repita duas vezes por dia, pela manhã e à noite.*

3

Agora, segurando o pé do bebê nessa mesma posição, acaricie e estimule o músculo lateral da canela com as pontas dos dedos.

4

Sentada confortavelmente com as costas apoiadas, levante os joelhos e deixe o bebê movimentar-se sobre seu abdômen, apoiando as costas em seus joelhos. Os joelhos dele devem estar flexionados e as pernas abertas, com os pés descansando sobre seu peito ou cintura. Massageie a panturrilha do bebê e, ao mesmo tempo, procure alongar-lhe o calcanhar pressionando o pezinho contra seu peito ou cintura.

• *Continue por alguns minutos ou pelo tempo que o bebê permitir. Repita duas vezes por dia, pela manhã e à noite.*

Mantenha o bebê seguro enquanto ele estiver com os pés na sua barriga, para que ele não possa projetar-se sobre seus joelhos.

Paralisia cerebral

Procure falar, cantar e permanecer perto do bebê para que ele fique atento ao que você está fazendo.

Este mal é atribuído a uma falta de desenvolvimento da parte do cérebro que comanda o movimento e a postura. Outras partes adjacentes podem ser afetadas, provocando distúrbios de aprendizagem, inclusive problemas de fala, audição e visão. Os efeitos variam de criança para criança, podendo ir dos mais leves aos mais graves.

A paralisia cerebral é classificada em três tipos: ataxia – que provoca o andar descoordenado e problemas de equilíbrio; espasticidade – desordem no controle dos movimentos, em geral decorrente de contração muscular, e atetose – movimentos descontrolados ou involuntários em diferentes partes do corpo. As crianças que sofrem de paralisia cerebral grave por vezes exigem cuidados ininterruptos e apoio postural. Aplicada diariamente, a massagem pode promover alívio de moderado a alto, melhorando sua qualidade de vida. Se você ainda não tiver começado a massagear o seu filho, consulte seu fisioterapeuta e explique-lhe o que pretende fazer.

Qualquer melhoria no tônus muscular traz consigo uma maior possibilidade de movimentos, podendo influir sobre a postura.

A massagem pode minorar as cãibras decorrentes da rigidez muscular, além de aliviar constipação e gases crônicos, muitas vezes decorrentes de má postura e da falta de mobilidade e movimento. Junto com a circulação, a comunicação também pode melhorar com a promoção de contato físico direto e sistemático.

A paralisia cerebral pode não ser detectada ao longo do primeiro ano de vida ou até mais – portanto, se você tiver motivos para acreditar que seu filho tenha sido afetado, consulte um médico. Se o diagnóstico do seu bebê indicar a presença desse mal, quanto mais cedo você começar a massageá-lo, melhor. Obviamente, você jamais deve forçar as articulações do bebê – modifique as técnicas conforme suas necessidades específicas. Se o bebê opuser resistência a ser massageado sem roupas, massageie-o vestido. Introduza a massagem aos poucos – talvez concentrando-se em uma parte do corpo de cada vez. Você pode começar pelas mãos e pés, passar às mãos e braços e depois, aos pés e pernas, tentando criar uma rotina. Procure massagear seu bebê diariamente e, se tiver qualquer dificuldade, consulte o fisioterapeuta.

Recomeçando a massagem

Na maioria dos casos, a crescente mobilidade e a necessidade de explorar o mundo em geral significam que o bebê atingiu um período no qual resistirá a ficar deitado e imóvel o suficiente para receber uma massagem "completa". Quando isso acontecer, não tire a roupa do bebê; simplesmente aproveite os momentos em que estiverem juntos para friccionar-lhe as costas, a cabeça, os braços, as pernas e os pés. Procure manter esse tipo de contato afetuoso sempre que ele for agradável para vocês dois. Embora o bebê possa não querer tirar a roupa nem se deixar massagear, a necessidade de ser abraçado e tocado ainda é essencial – qualquer modo que você encontre de continuar reafirmando fisicamente o quanto ele é importante irá contribuir para a auto-estima do seu bebê e para uma imagem corporal sadia. Beijos, abraços e carícias espontâneas mostrarão ao bebê o quanto ele é querido e lhe permitirão recomeçar a massagem mais facilmente quando você julgar que o momento é conveniente. Quando isso ocorrer – geralmente em torno dos 18 meses –, tente introduzir a seguinte rotina.

Vocês podem continuar a usufruir desses momentos de contato físico afetuoso quando seu bebê começar a descobrir o mundo que o cerca.

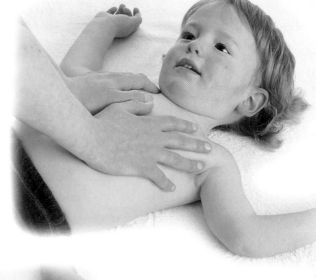

 1

Coloque ambas as mãos no meio do peito do bebê e massageie-o – em movimentos ascendentes, descendentes e por fim de novo no meio do peito – com as mãos relaxadas.

- *Repita 4-5 vezes.*

2

Friccione – delicada, porém firmemente – os ombros do bebê, para trás e para a frente, partindo das laterais do pescoço para fora.

- *Continue por cerca de 20 segundos.*

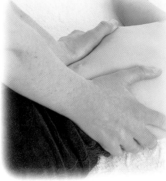

 3

Mantendo as mãos sobre a pele do bebê, acaricie-o dos ombros aos quadris e vice-versa.

- *Repita 4-5 vezes.*

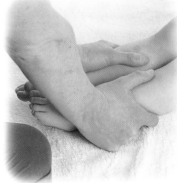

 4

Usando o peso de uma das mãos, massageie a barriga do bebê no sentido horário, com movimentos circulares. Mantenha a mão relaxada.

- *Repita 5-6 vezes.*

5

Massageie a parte anterior das coxas do bebê apertando-as e soltando-as e, em seguida, friccionando-as suavemente cinco ou seis vezes. Mantendo as mãos sempre sobre ele, repita a seqüência com as panturrilhas.

 6

Sem afastar as mãos da pele do bebê, acaricie-o dos pés aos ombros e vice-versa.

- *Repita 3-4 vezes, terminando com os pés.*

UM TOQUE MAIS FIRME

A chegada dos "terríveis dois anos", a partir dos 18 meses, é o momento em que o bebê começa a se impor e a buscar a própria independência, exigindo ainda mais paciência e compreensão. Por sorte, aparentemente há períodos em torno dessa idade nos quais os bebês voltam a apreciar a massagem. Esses interlúdios muitas vezes proporcionam uma folga muito bem-vinda dos extremos emocionais que podem prevalecer nessa época.

Agora que o bebê está mais forte e resistente, talvez você precise tornar o seu toque mais profundo, dando-lhe uma massagem ligeiramente mais forte e rápida. Para prender a atenção do bebê, você precisa continuar a falar, cantar e manter contato visual sempre que puder ao longo da massagem.

Se você tiver começado a praticar os jogos de ginástica leve (ver páginas 60-71), é possível combinar a massagem com um ou dois deles.

Já que o bebê fica maravilhado diante da própria mobilidade, deixe-o tomar banho de ar sempre que possível e use a massagem para dar-lhe um trampolim para sua independência.

7

Com o bebê deitado de bruços, friccione-lhe os ombros com as palmas das mãos e massageie-lhe as laterais da parte superior da coluna, comprimindo-as delicadamente com os polegares.

* *Continue por cerca de 20 segundos.*

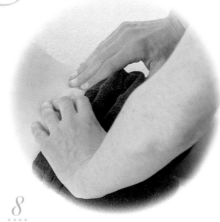

8

Acaricie as costas do bebê desde os ombros até os pés, usando o peso de ambas as mãos, mantendo-as relaxadas ao longo do movimento. Com as pontas dos dedos, massageie a base da coluna friccionando-a levemente.

* *Repita 3-4 vezes.*

9

Deslize os dedos médio e indicador de ambas as mãos pelas laterais das costas do bebê, da base da coluna até a parte posterior do pescoço e vice-versa.

* *Continue por cerca de 20 segundos.*

10

Agora abra os dedos e deslize-os, usando o peso das mãos relaxadas, da base da coluna até os pés do bebê. Em seguida, faça o percurso inverso.

* *Repita 3-4 vezes.*

11

Para finalizar, acaricie as costas do bebê, dos ombros aos pés.

* *Repita 3-4 vezes.*

Índice

AGRADECIMENTOS
Shuana N'diaye e Roland Codd pela
consultoria em design.

Créditos das fotos: p. 17 Telegraph
Colour Library; p. 27 Telegraph
Colour Library; p. 50 The
Stockmarket; p. 51 Images Colour
Library; p. 60 GettyOne Stone; p. 61
The Stockmarket; p. 72 Powerstock
Zefa Photo Library; p. 86 GettyOne
Stone; p. 87 Steve Grand/Science
Photo Library; p. 88 GettyOne
Stone; p. 91 GettyOne Stone;
p. 92 The Stockmarket; p. 94
Telegraph Colour Library.